Storie di vita - 8

Chiara Genisio

Un prete ribelle

La storia
di padre Carmelo Di Giovanni

Introduzione di
Mariapia Bonanate

Un grazie particolare a Carmelo, per avermi confidato la storia della sua vita; a Gabriele e a Mariapia: loro sanno il perché. E a tutti gli amici di padre Carmelo che hanno accettato di raccontarmi il loro «Carmelo».

*A mia madre
e a "papi".*

Devo a Chiara Genisio il mio incontro con padre Carmelo Di Giovanni. È stata lei la corda provvidenziale che mi ha portata verso questo piccolo, grande prete che ama come Cristo chiedeva ai suoi apostoli di amare. Guardando le persone negli occhi, chiamandole per nome, abbracciandole. Sono trascorsi più di duemila anni, ma Carmelo è rimasto là, ai piedi della Croce. «Donna, ecco tuo figlio!». «Ecco la tua madre!» (Gv 19,26-27). È rimasto accanto al discepolo prediletto di Gesù, forse il più intimo, il più fragile, il meno prevedibile degli apostoli. Il figlio e il fratello cresciuto fra inquietudini giovanili, debolezze, la sua grande ansia d'incontrare il vero volto di Dio, quello delle Beatitudini. Un uomo, con la sua carne desiderosa di affetto, di abbracci, di mano nella mano: tutti e due, tu e l'altro, allo stesso passo, anche se rallentato, anche se stentato, anche se incapace di evitare le cadute e di superare gli ostacoli. Con il cuore che sborda fisicamente dal corpo per raggiungere il cuore dell'altro e fondersi in un solo pulsare. Era così Giovanni, il discepolo prediletto, che Cristo ha affidato a Maria, prima di morire, prima che tutto fosse «compiuto»?

La tenerezza con la quale Gesù lo consegna a sua Madre ce lo fa pensare. Il suo capo, posato sul petto di Gesù, nell'Ultima cena, ce lo conferma. Carmelo di Giovanni. Perché non leggere: Carmelo che appartiene a colui che fu fra i primi a passare alla sequela di Cristo e l'ultimo a restargli accanto, quando gli amici di cordata erano scappati? Nomi e cognomi hanno sempre una loro intima risonanza e un misterioso legame con chi li ha avuti assegnati per sorte.

Ma è soprattutto il contatto fisico con padre Carmelo che ti riporta direttamente nel cuore del Vangelo, in quel passaggio stretto e definitivo, spalancato sull'eternità che è il Calvario. Lì il nostro «pallottino» ha piantato la sua tenda.

Lì abita e accoglie l'umanità sofferente che ha scelto come compagna di strada, andandola a cercare vicino e lontano, dietro le sbarre di una prigione, nel cuore e nelle periferie della Londra che promette miraggi di libertà e di trasgressione per raccogliere sui marciapiedi relitti umani; nelle terre lontane, dove si sono smarriti quei viandanti della vita, finiti dietro ad altre sbarre, dimenticati da tutti. Ma non da lui che, prima ancora di essere ministro di Dio, è un uomo in Dio. Fa differenza. Perché carica il personaggio di una sensibilità e di un'attenzione verso chi incontra che diviene ogni volta donazione totale e gratuita di se stesso.

Siamo state insieme, Chiara e io, a visitare le carceri di Londra, dove Carmelo con la sua borsa di plastica e lunghi viaggi in metropolitana, in cui si addormenta regolarmente per la stanchezza, porta ai giovani italiani, finiti lì dentro a causa della droga e di altre maledizioni, giornali, sigarette e soprattutto la richiestissima Bibbia. E abbiamo assistito sempre allo stesso rito: la porta della cella che si apre, il ragazzo che si fa avanti e getta le braccia al collo del piccolo prete. Lo avvolge con tutto il corpo fino a farlo affogare nel proprio. Come se le pareti della cella scomparissero dentro a quell'abbraccio che diventa l'unico ponte verso l'esterno, verso la speranza di un ritorno alla normalità, alla vita.

Siamo state insieme, Chiara e io, sui marciapiedi di Soho, di Trafalgar Square, di Piccadilly Circus, dove a ogni angolo, anche se la notte è fonda e la folla sempre più variopinta, qualcuno stampa baci sulla faccia tonda del « pallottino » e senza troppi complimenti, complice l'ebbrezza della « roba » appena assunta o, che sta per assumere, lo solleva da terra con urla di gioia. Lui neppure si difende, non si ritrae: sono i suoi ragazzi, le sue pecorelle smarrite quelle che arrivano a tutte le ore del giorno e della notte a bussare all'uscio della « Italian Church », magari per sottrargli ancora una volta qualche oggetto da vendere, o per riversargli addosso le loro disperazioni e piangere fra le sue braccia, che sono corte, ma sanno diventare immense.

Siamo state insieme, Chiara e io, nella St. Peter's, la sua parrocchia affollata di italiani residenti a Londra, facce oneste di lavoratori che attorno a lui ricostruiscono nella gioia e nel dolore un pezzo della propria terra, il calore del sole che non hanno dimenticato, gli odori e le voci di paesi e di città alle quali magari non ritornano da anni. Abbiamo ascoltato le sue parole semplici ed evangeliche che parlano il linguaggio dei fiori di campo, dei semi che fruttano, degli alberi che crescono, della speranza che la Risurrezione ci regala, anche quando la strada percorsa è stata una discesa verso gli inferi.

Niente discorsi astratti, ma racconti di vita, storie quotidiane. Quelle che troverete in questo libro che ripercorre la sua esistenza da quando bambino nel minuscolo paese calabro inventava intrighi per sentirsi parte della natura che lo circondava e delle esistenze che scorrevano attorno a lui e metteva in subbuglio la vita familiare e quella degli amici. Erano il preannuncio della sua giovinezza ribelle, delle sue provocazioni, della sua sete radicale di autenticità e di verità, della sua ricerca di un Dio in carne e ossa. Non una parola astratta, ma il fratello da amare come te stesso, senza giudicare, senza nulla pretendere in restituzione. Erano le radici di una vocazione che più «diversa» non poteva essere (ma se non sei «diverso» tu, come fai a capire i «diversi»?) e che lo avrebbe, contro ogni previsione, portato alla ordinazione sacerdotale, a diventare prete.

Ma quale prete? Lo scoprirete in queste pagine che hanno seguito, fedelmente, il percorso accidentato di un apostolo assetato di Dio, ma a lungo vagante nella confusione di un peregrinare dove i conti non tornavano mai e le provocazioni nascondevano una sete di eternità e di essenzialità. Pagine che hanno il merito di non averci offerto l'apologia di un personaggio amato e ricercato da migliaia di persone, che non hanno niente di devozionale e nessuna paura di scandagliare anche quegli angoli bui che accompagnano la santità. Un uomo e un prete che ha soccorso centinaia di giovani, ma ne ha anche seppelliti tanti, ha consolato una folla di madri, padri, fratelli, parenti.

Come raccontano i capitoli di questo libro scritto da una giornalista che ha vissuto da vicino tratti importanti della vita di Carmelo, lo ha visto inginocchiarsi dinanzi alla croce dei malati di aids, quei moribondi che gli hanno aperto le porte del cielo, dove stavano andando e lo hanno aiutato a «convertirsi» a Dio senza riserve e remore. Soltanto per amore. Lo ha seguito nelle sue peregrinazioni fra i giovani e meno giovani che hanno trovato in lui il padre, la madre, il fratello, l'amico, ha raccolto i suoi momenti di tristezza, i suoi dubbi, le tentazioni di resa. Il ritratto che ci viene incontro supera la parola scritta, la cronaca, il ricordo per assumere una presenza fisica e spirituale.

Un Carmelo in carne e ossa, folgorato sulla via di Damasco dal Dio che aveva deciso di porre termine al suo confuso vagare, un uomo che avverte la pesantezza di una fatica senza riposi, di una disponibilità senza interruzioni. Che spesso ha anche paura e deve aggrapparsi all'invito di Cristo: «Coraggio, sono io, non abbiate paura!» (Mc, 6,49-51). Un prete che nella sua strada verso Gerusalemme ripercorre tutte le tappe di Cristo, a cominciare dall'Orto degli Ulivi all'Ultima cena, alle stazioni della Via Crucis, al buio dei tre giorni di silenzio nel sepolcro, alla luce della Risurrezione. Tappe mai definitive, perché da Duemila anni il Figlio di Dio le rivive in noi e accanto a noi, senza mai stancarsi e arrendersi.

Lo testimonia Carmelo, nella sua storia accidentata di piccolo, grande prete che quando entra nella tua vita, vi rimane per sempre.

MARIAPIA BONANATE

Dalla parte dei più deboli

Una mattina come tante. A pochi chilometri da Biella, a Oropa, il sole illumina il Santuario mariano del Piemonte, scolpito nel granito dalla devozione popolare. Uno tra i più grandi d'Europa, ma ingiustamente poco valorizzato. Un gruppo di persone, per lo più sconosciute tra loro, si è dato appuntamento lì alle pendici delle prealpi. Sono unite solo da due cose: ognuno ha un dolore nel cuore, ognuno è amico di padre Carmelo. Tra di loro ci sono anch'io.

Ed è proprio lui che stiamo ascoltando nella predica di una domenica di metà luglio. La cappella è piccola e buia, fuori il cielo è limpido come due anni prima, il 16 luglio 1989, quando papa Giovanni Paolo II si inginocchiò a pregare davanti alla Madonna Nera di Oropa, così simile alla sua Vergine bruna di Czestochowa. La giornata è trascorsa serena, per qualche ora ognuno ha dimenticato la sofferenza che si porta dentro. E padre Carmelo ci ricorda: «Il nostro cuore è come un vaso rotto in tanti pezzi. Possiamo cercare di ricomporlo, ma si vedranno sempre i segni. Dio, invece, con il suo immenso amore, potrà compiere il miracolo e risanare tutte le nostre ferite». Le sue parole entrano in noi come un balsamo. Abbiamo bisogno di non sentirci abbandonati alla sofferenza. Padri e madri che piangono per aver perso un figlio stroncato dalla droga, chi per una figlia morta di aids, chi deve ricominciare a vivere senza una persona cara, e ancora chi è stato tradito e umiliato da chi più amava.

Padre Carmelo conosce la sofferenza di ognuno. È stata sua l'idea di una gita alle pendici del monte Mucrone, nel Biellese. Vuole incontrare la famiglia di uno dei tanti, tantissimi giovani che ha conosciuto per le strade di Londra. Sfiniti, affamati, abbandonati da tutti. Partiti con la speranza di conoscere la vera libertà, ma finiti nel giro della droga, poi in carcere. Carmelo, ogni volta che rientra in Italia, vuole incontrare genitori, fratelli, amici di questi ragazzi che spesso ha accompagnato nelle ultime ore di vita.

E sono veramente numerosi. Nelle carceri inglesi, ogni anno, vengono rinchiusi tra i seicento e i settecento italiani; l'80 per cento per reati legati alla droga. Padre Carmelo li conosce tutti. Li ha incontrati, confortati, li ricorda a uno a uno. E loro conoscono lui. Da trent'anni è sempre in prima linea tra chi soffre e vive al margine della società. Ma che cosa lo spinge a vivere stando sempre dalla parte dei più deboli? Lui risponde così: « Io vedo il volto di Cristo in ciascuna di queste persone. Non è sempre facile, ci sono momenti di difficoltà, di sconforto, di dubbio, di rabbia. Ma è Cristo che bussa alla mia porta, e io che cosa rispondo?

Ricordo le parole che mi disse madre Teresa: "Noi non siamo assistenti sociali. Ogni volta che vediamo una persona che soffre vediamo il volto di Cristo deriso, calunniato, mortificato" ».

Il piccolo grande prete

La sua casa è nel cuore di Londra, vicinissimo alla City, l'impero della finanza e del business. Al numero 4 di Back Hill c'è una porticina, semplicissima, di legno chiaro. È l'ingresso della casa parrocchiale della St. Peter's Italian Church, la chiesa degli italiani della capitale britannica di cui Carmelo è il parroco dal 1990. La chiesa fu costruita nella metà dell'Ottocento su ispirazione di san Vincenzo Pallotti, fondatore nel 1835 a Roma della congregazione della Società Apostolato Cattolico (conosciuta come Padri Pallottini). E diventò presto punto di riferimento per i numerosi emigranti che arrivavano a Londra in cerca di un lavoro e di un avvenire per i propri figli. Qui, dall'inizio degli anni Settanta, padre Carmelo Di Giovanni, calabrese, classe 1944, vive e svolge la sua missione.

Un parroco a tempo pieno, sempre disponibile per tutti, giorno e notte. Il suo telefono non conosce silenzi, lo stesso vale per il campanello della porta, un cicalino dall'inconfondibile tono acuto. Può essere chiunque. Dalla coppia di fidanzati che chiede informazioni per il corso prematrimoniale ai giovani genitori che desiderano battezzare il loro figlio. Fin qui niente di straordinario: la vita normale di una parrocchia. Se non fosse che a suonare alla porta, a ogni ora del giorno e della notte, sono soprattutto giovani «sbandati» (sono loro stessi a definirsi così), ragazzi e ragazze usciti dal carcere che non sanno dove andare o che passano da qui per salutare padre Carmelo, «il piccolo grande prete». E sì, perché padre Carmelo alto non è, e tanto magro neppure ma, come scrive un ragazzo dalla cella, «ha un cuore grande come quello di un gigante».

Fino al primo aprile del 2001, accanto a lui c'era padre Roberto Russo, un uomo dal temperamento burbero, tifoso appassionato della Roma. Con Carmelo ha condiviso molto, dallo studio in seminario in Italia, ai tanti anni di vita comunitaria in parrocchia. Padre Russo si occupava della normale routine della St. Peter's e di *public relationes*. Era sempre lui a partecipare agli incontri all'Ambasciata, ai vari Lyons e Rotary, non per vanità o debolezza, ma per testimoniare il Vangelo anche in questi ambienti, e tessere una rete preziosa di relazioni importanti per la vita della parrocchia. Padre Carmelo poteva, così, dedicare gran parte del suo tempo ai più poveri, agli ultimi. Un equilibrio quasi perfetto, che si è spezzato il 2 aprile di quell'anno. Era un lunedì. Un infarto ha colto padre Roberto nel sonno, e padre Carmelo si è trovato da solo a fronteggiare una mole di lavoro enorme. Ma questa è storia recente. Per conoscere meglio padre Carmelo e la sua straordinaria vicenda di uomo e di prete, occorre fare molti passi indietro.

Un ragazzo ribelle

A Sangineto, un piccolo paese in provincia di Cosenza, a Rosaria Di Giovanni, casalinga, donna di grande fede, e a Domenico Di Giovanni, cantoniere, nasce un bambino. Lo chiamano Carmelo. È il 3 maggio 1944. Qualche anno prima era nato il primogenito Silvano, compagno di giochi e con il quale per alcuni anni, Carmelo, ha condiviso anche l'esperienza del seminario. Ma non è l'unico fratello. Il padre aveva avuto tre figli (Mario, Luigi e Rita) da un precedente matrimonio. Alla morte della prima moglie aveva sposato Rosaria. Con questi fratelli, nati diversi anni prima, Carmelo ha vissuto pochissimo: nel 1948 Mario e Luigino si sono trasferiti a Buenos Aires e fino al 1974 non li ha più incontrati.

Torniamo all'infanzia di Carmelo. Lui la ricorda così: «Fin da piccolo ero molto irrequieto, un piccolo brigante, mi definiva mia mamma. Avevo quasi un anno quando mi ammalai di meningite e dovettero battezzarmi in tutta fretta. Era il venerdì santo. La mia era una famiglia povera, e questo mi creava parecchi problemi. Mi procurava un grande imbarazzo, davanti ai miei amici, l'umile lavoro di mio padre, e a volte anche la scarsa istruzione di mia madre». Sensazioni forti che assumeranno un senso del tutto opposto nella sua vita di adulto.

Come era consuetudine in quegli anni, Carmelo, a undici anni, viene mandato in collegio per studiare. La scelta viene fatta su indicazione di un amico di famiglia molto vicino ai Pallottini di Cetraro, un paese vicino a Sangineto. Carmelo inizia gli studi a Rocca Priora, non lontano da Roma. È sempre un ragazzo ribelle e indomabile. Ora, grazie alla sua lontananza, in famiglia riescono a tirare il fiato per un po'.

Frequenta il liceo classico, con indirizzo filosofico, all'Istituto Augusto di Roma, con qualche difficoltà, ammette lui stesso, e vive nel collegio dei Pallottini a Grottaferrata. «Non dedicavo molto tempo allo studio e non sopportavo regole precise. Un anno fui anche bocciato. In alcune materie sono riuscito a prendere anche sotto zero come votazione. Il collegio era frequentato da giovani che provenivano da tutta l'Italia. Nella mia classe eravamo circa una quarantina, ma solo due di noi alla fine hanno scelto di diventare preti».

Conseguita la licenza liceale, nonostante cresca in lui sempre più forte un senso di ribellione verso tutte le istituzioni, e tra queste la Chiesa, si iscrive all'Università del Laterano di Roma. «Mi volevano letteralmente cacciare, perché non mi ritenevano adatto alla vita sacerdotale, ma evidentemente avevo qualche santo protettore, perché nonostante le mie continue ribellioni mi permisero di restare e di continuare gli studi», dirà molti anni dopo.

Oggi padre Carmelo rivive così la storia di quel periodo:

«I miei riferimenti erano i preti di strada, volevo diventare come loro, mi affascinava questo nuovo movimento che stava nascendo intorno al Concilio Vaticano II. Mi interessavano solo i problemi della gente che stavano emergendo in modo drammatico in tutto il mondo. Compravo dei libri sulla rivoluzione di Cuba (sono gli anni di Che Guevara), mi interessavo alla politica di Mao Ze Dong in Cina. Il mio sogno, ma anche di molti altri miei compagni di corso, era di togliere ai ricchi per donare ai poveri; volevamo cambiare la Chiesa, sgretolarla dall'interno. Desideravamo cancellare la figura del prete di sacrestia per proporre quella del prete che lottava per ridare dignità a tutti i poveri del mondo. Ci trovavamo a discutere di queste novità, i nostri superiori cercavano di comprenderci, ma non sempre ci riuscivano. Eravamo nel pieno degli anni Settanta, gli anni della contestazione giovanile, e ci sentivamo parte di questo movimento. Io ero tra i più estremisti.

Spesso non andavamo neppure alle lezioni, salivamo sull'autobus, che dal collegio di Grottaferrata ci portava a Roma, ma a scuola non ci arrivavamo: scendevamo prima e cercavamo luoghi per dibattere e confrontarci. Devo ammettere che neppure noi sapevamo bene quello che volevamo. Contestavamo e basta. Sentivo che la Chiesa stava dalla parte dei più forti e questo per me non era giusto. Credevo, anzi, credevamo in un Vangelo sociale, che doveva risolvere i problemi pratici della gente: il lavoro, la casa, la salute. Ero convinto di operare all'interno della Chiesa, e non ero il solo a crederlo. Forse io ero il più intollerante, ma l'insoddisfazione era generale. Anche se alcuni miei compagni di studio erano più moderati e non erano disponibili ad azioni violente e più concrete».

Tra i superiori c'è una figura più importante delle altre nella formazione di Carmelo. È don Vittorio Vinci, morto nel 2002. Rettore della Casa e per molti anni Padre provinciale, segue i giovani in quegli anni turbolenti. Ricorda Carmelo: «Gli ero legato da una profonda spiritualità. Aiutava e incoraggiava noi giovani. In tutti i ruoli che ha ricoperto mi ha sempre sostenuto, era un uomo aperto alle novità, comprendeva i mutamenti che si stavano affacciando nella società e di conseguenza anche nella Chiesa. Mi sono sempre sentito rispettato da lui e, come me, tanti altri giovani seminaristi. Nonostante le sue aperture, era fermo nelle regole che dovevamo rispettare e spesso ci riusciva».

Il giovane Carmelo, contestatore su tutti i fronti, non conosce mezze misure. In tutto, anche nello svago domenicale più classico, come andare allo stadio. Lo testimonia un suo amico di sempre, don Antonio Lotti, ora parroco di «Regina Pacis», la chiesa dei Pallottini a Ostia Lido. Romano, uomo pragmatico, ma anche colto e sensibile, quasi suo coetaneo, ha vissuto insieme a Carmelo tutto il periodo di studio, dalle scuole medie all'università. Ancora oggi sono legati da un rapporto di amicizia molto forte. Nella seconda metà degli anni Sessanta, grande incubatoio di rivolgimenti sociali, Carmelo «va allo stadio Olimpico, tutto vestito di giallo e rosso e con il cappello in testa, non tanto per vedere la partita della Roma, ma per sfogare nel tifo più esagitato tutta la sua rabbia e il suo desiderio di ribellione», racconta don Antonio, conosciuto da tutti come Tonino.

L'ho incontrato una magnifica mattina di inizio primavera ad Ostia Lido nella parrocchia «Regina Pacis», la chiesa in cui Carmelo era stato destinato come primo incarico all'indomani della sua ordinazione nel 1971. Carmelo vi ha vissuto poco meno di un anno, ma non è passato inosservato. Per molti, i più tradizionalisti, non certo in senso positivo. Ad altri, invece, è rimasta la sensazione di aver incontrato un sacerdote vivacemente alternativo. Un prete che parlava il linguaggio dei giovani, che proponeva la messa domenicale animata dal suono delle chitarre e da prediche fuori dagli schemi, che parlavano di diritti sindacali, di abbattere le istituzioni, di vendere i beni della Chiesa per donarli ai più poveri, non soltanto a quelli lontani dell'Africa, ma anche ai molti che vivevano proprio lì, nelle baracche alla periferia di Roma.

La chiesa di don Lotti è imponente, con grandi spazi per l'accoglienza, per la scuola, per l'oratorio e per lo sport – ospita una squadra di basket di ragazzi molto in gamba – ed è in una posizione magnifica. La prima volta che l'ho visitata, don Tonino mi ha condotta dietro all'altare, al posto del celebrante, ha aperto il portone in fondo alla chiesa e all'improvviso sono stata abbagliata da uno splendido scorcio di mare. Poi ha continuato a raccontarmi del compagno di tante esperienze: «Il suo era uno spirito libero, il suo desiderio d'avventura aveva sempre il sopravvento su tutto. Si buttava su qualsiasi cosa: sport, politica, problematiche sociali, pur di interrompere la routine. Trasgressivo verso qualsiasi regola, cercava di trascinare i nostri compagni nelle sue battaglie». Sorride, don Tonino, ricordando episodi lontani: «Una volta dormì per un lungo periodo per terra, nel corridoio del seminario, per protesta contro i superiori. Loro lo ignorarono e lui dovette desistere. Usava un linguaggio tutto suo, stravagante, ma è sempre stato generoso e disponibile verso chiunque. Possiede una grande capacità di donarsi. Da quando lo conosco ha sempre messo i bisogni degli altri davanti alle proprie esigenze. Certo, ovunque andasse, come ora d'altronde, sapeva farsi notare. Ricordo ancora l'esperienza tragicomica di una vacanza con lui in giro per l'Europa, alla fine degli anni Sessanta. Avevamo risparmiato un po' di soldi, ma lui impose di vivere in assoluta povertà. Già allora mi colpiva la sua profonda spiritualità. Tuttavia in mezzo a questo frenetico attivismo, era sempre in movimento, riusciva a ritagliarsi momenti di contemplazione».

Ma don Antonio parla di Carmelo anche come di un giovane che poteva coglierti alla sprovvista con iniziative un po' bizzarre e imprevedibili. «Un giorno d'estate mi chiamò dall'aeroporto di Fiumicino per dirmi che era tornato dal suo viaggio in India e mi chiedeva di andare a prenderlo in auto in una piazza nel centro di Frascati, per riportarlo in collegio a Grottaferrata. Arrivai all'ora stabilita. Ma non trovai nessuno. Stavo per andarmene urtato per la sua solita mancanza di indicazioni precise. Ma mentre stavo per risalire in macchina vidi un mucchietto di stracci bianchi, mi avvicinai e scoprii che sotto c'era lui. Era arrivato molto prima di me e stanco per il lungo viaggio si era accucciato per terra per dormire».

Il clan di Carmelo, giovani seminaristi, contestatori e imbevuti dallo spirito del Concilio, allietava le sere d'estate e le domeniche pomeriggio di molte famiglie. Rammenta don Tonino: «Avevamo formato un piccolo gruppo musicale e di intrattenimento. Eravamo in otto, ognuno con un ruolo diverso: chi cantante, chi batterista. Carmelo era bravissimo nel raccontare le barzellette. Oltre a divertirci riuscivamo anche a guadagnare qualche soldino. Siamo rimasti uniti ed amici, anche con quelli che poi hanno scelto un'altra strada. Ancora oggi ci ritroviamo, ogni tanto. Ci sentivamo bene nel nostro collegio. I nostri superiori (uno era padre Roberto, lo stesso che Carmelo ritroverà come parroco nella parrocchia di Londra), erano aperti, ci lasciavano liberi, e noi vivevamo in un clima di grande responsabilità che ci ha permesso di esprimerci al meglio, anche se, devo confessarlo, avevo l'impressione che Carmelo frequentasse l'Università non tanto per studiare le numerose materie, quanto per imparare le lingue straniere e poter viaggiare con meno difficoltà».

Carmelo era un giovane molto esuberante, semplice, entusiasta della vita e si innamora. La parola ancora una volta passa a don Lotti: «Ricordo un'estate, mi pare fosse il 1968, andammo in Danimarca con il gruppo degli straccivendoli di Emmaus, il gruppo fondato da l'Abbé Pierre. C'erano migliaia di persone, giovani provenienti da tutto il mondo, raccoglievamo stracci che una volta venduti permettevano di inviare fondi nei Paesi più poveri. Quell'anno erano destinati alla costruzione di un ospedale in Africa. Carmelo, appena arrivato, diventò subito il responsabile di un campo per lo smistamento del raccolto.

Tutto andò bene fino a quando non si innamorò di una bellissima ragazza danese, alta, bionda, con gli occhi azzurri. Per un po' uscirono insieme e lui "amoreggiava" con lei davanti a tutti, voleva stupire e devo confessare che ci riusciva. Poi lei lo lasciò e lui cadde in prostrazione. Ne risentì tutto il campo di lavoro, al punto che si formò una delegazione che convinse la giovane danese a tornare con lui. E così il campo rifiorì». Finito il campo, Carmelo ritornò al proprio collegio.

L'ordinazione di Carmelo

Il 20 dicembre 1970 il vescovo di Frascati, monsignor Luigi Liverzani, consacra Carmelo sacerdote, a dispetto di tutte le previsioni. La congregazione dei Pallottini, infatti, sembrava non ritenerlo adatto alla vita di una comunità religiosa, bensì lo vedeva meglio come sacerdote diocesano. «Ma io non mi stancai di chiedere di diventare Pallottino, e forse loro si stancarono di opporsi», ricorda Carmelo. Anche se, ad onor del vero, una mano gliela diedero proprio i suoi amici più cari, i compagni di tante battaglie e di serate goliardiche. È di nuovo don Tonino a raccontare: «Quando venimmo a conoscenza che la domanda di Carmelo di consacrarsi Pallottino era stata respinta, insorgemmo tutti. Avevamo assistito a ordinazioni di giovani che secondo noi non meritavano questo sacramento per cui facemmo un diktat. Da parte sua Carmelo pregava. I superiori richiesero a Carmelo di moderare i toni. Non so che cosa accadde, ma alla fine cedettero.

Il fatto più curioso fu che Carmelo aveva detto e ripetuto che desiderava una cerimonia semplice, con pochi amici. Tutto il contrario di quello che accadde. Mancavano solo i fuochi d'artificio! Arrivarono in tanti, tantissimi. Tutto il suo paese natio, i moltissimi amici sparsi per il mondo, con le loro chitarre e i capelli lunghi. Non mancavano le famiglie dei bambini a cui, nel periodo prima dell'ordinazione, aveva insegnato il catechismo».

«Dopo la consacrazione mi sentii più forte, più sicuro. La cerimonia fu molto commovente, mi sentivo colmo di gioia». Sono parole di Carmelo.

Pochi giorni dopo le feste di Natale, padre Carmelo viene inviato, come assistente, proprio nella parrocchia pallottina Regina Pacis, di Ostia Lido.

«Ricordo ancora il primo giorno. A pranzo eravamo cinque, nessuno fiatava. Io, esuberante come al solito, continuavo a parlare, ma confesso che mi sentivo un pesce fuor d'acqua».

È don Renato Pucci, suo confratello, di qualche anno più grande di lui, che lo aiuta a inserirsi nella vita della parrocchia e della città. Infatti, fu proprio don Renato, che in quegli anni insegnava religione ai ragazzi del liceo classico « Anco Marzio », a introdurre Carmelo, senza alcuna difficoltà, nell'ambiente giovanile.

« Con don Renato condividevamo le stesse contestazioni, ci ispiravamo alle novità del Concilio Vaticano II, avevamo in mente una Chiesa sociale, aperta ai laici. Volevamo essere un modello ispirato al Vangelo della strada. Avevamo in mente una figura di sacerdote diversa da quella classica, un prete disponibile per tutti, in ogni momento, sempre. Una parrocchia aperta, senza orari, in grado di accogliere il forestiero, il povero, lo sbandato », ricorda Carmelo. Un modello di parrocchia che molti anni dopo, e non senza difficoltà, Carmelo e padre Roberto realizzeranno a Londra.

Di quei mesi trascorsi a Ostia, Carmelo rammenta con simpatia: « Mi venivano a trovare gli amici con i quali alla Basilica di San Paolo, a Roma, avevo condiviso la lettura del Libro Rosso di Mao, il rifiuto della liturgia e dei paramenti. In dieci mesi accadde veramente di tutto. Inventai un nuovo modello di prete. Insegnavo religione alle elementari e portavo sempre con me la chitarra, anche se – a essere sincero – era solo scena, perché ancora oggi non la so suonare. Mi occupavo dei ragazzi anche il sabato e la domenica, le famiglie erano contente e molti giovani erano attratti dalle mie prediche contestatrici.

D'altra parte, moltissimi adulti e parrocchiani non condividevano il mio modo di operare: le mie prese di posizione erano troppo estremiste per loro. Come quella volta che andai tra i baraccati e i preti operai a celebrare la santa messa con un quotidiano di sinistra al posto del Vangelo. Li aizzavo contro le istituzioni e la Chiesa. Discutevo spesso con i miei confratelli. Tranne, appunto, don Renato Pucci. Il mio parroco, don Vittorio Colanfraceschi, era già molto aperto, aveva viaggiato parecchio, era stato parroco in Brasile, alle Canarie, ma io ritenevo che fosse troppo succube del vicariato. Contestavo apertamente il cardinale Ugo Poletti negli incontri zonali dei preti del settore sud della diocesi di Roma.

La convivenza stava diventando difficile, crescevano le rimostranze nei confronti del mio operato, le mie parole spaventavano tutti, volevo mettere una bomba sotto il Vaticano, svuotare le chiese, sovvertire tutte le regole. E ben presto arrivò la punizione. Fui trasferito d'urgenza. Destinazione St. Peter's Italian Church, la chiesa degli italiani a Londra. Mi sentii perso. I miei tanti amici cercarono di opporsi in tutti i modi, scrissero ai superiori, al Vescovo, organizzarono incontri: non servirono a nulla. L'ordine fu perentorio. Dovetti partire. In cuor mio pensai: tanto è per poco tempo, tra pochissimo sarò di nuovo nella mia terra, a contestare le istituzioni».

Mai sensazione fu più errata di quella.

Il suo arrivo a Londra

E così padre Carmelo arriva a Londra. È il 1971, si avvicina l'inverno. Un clima completamente diverso dalla sua Italia, sotto tutti gli aspetti. La comunità italiana, che ha come riferimento la parrocchia, guarda con grande diffidenza questo piccolo prete con la chitarra, l'eskimo, i jeans e l'aria strafottente. Sono uomini e donne che tanti anni prima avevano dovuto abbandonare la loro terra in cerca di un lavoro e di una vita migliore. Gente legata alle tradizioni di un Paese che non è riuscito a garantire loro un'esistenza degna di questo nome.

Padre Carmelo non conosce l'inglese, si sente a disagio. Lo accolgono padre Francesco Amoroso e don Mario Moriconi.

« La prima impressione, entrando in questo nuovo contesto, fu quella di vivere in un incubo. Ero come allucinato. Mi veniva imposta una disciplina ferrea, la liturgia era rigida, ancora di più che a Roma. L'unico mio desiderio era quello di scappare. Provavo una confusione tremenda, non ero più tanto sicuro di voler continuare a essere un sacerdote. Il passaggio da Roma a Londra fu veramente molto drammatico. E non sto esagerando. Ero già stato in questa metropoli in occasione di un viaggio, ospite di una famiglia. Avevo visitato la St. Peter's e non mi era piaciuta per niente ».

Insomma, Carmelo si trova in un posto a lui ostile. Il parroco gli affida la celebrazione della messa e la visita agli ammalati dell'Ospedale Italiano in Queen Square, vicino al British Museum. Si deve svegliare prestissimo, intorno alle cinque. Poi inforca la bicicletta e in una decina di minuti è già pronto per celebrare l'eucaristia per i ricoverati. Lo assistono le suore Comboniane di Verona e poi, negli anni seguenti, le suore Elisabettine di Padova.

« Trascorrevo più tempo possibile con i malati in corsia, nei momenti liberi frequentavo una scuola per imparare l'inglese, e aiutavo il parroco al Club (il centro per i giovani e le famiglie della parrocchia), ma più passavano i giorni più meditavo di abbandonare tutto e scappare », confessa.

È in questo periodo che incontra Roberto e Maria, due giovani medici in servizio all'Ospedale Italiano di Londra. Oggi Maria è, forse, una delle persone che conosce più a fondo Carmelo. Racconta: «Ci siamo conosciuti, nella primavera del 1972, grazie al mio amico e collega Roberto, un uomo sensibile, elegante, poeta, un bravo medico dal cuore tenero che aveva una grande considerazione per padre Carmelo, di cui era riuscito a intravedere i numerosi pregi, al di là dell'aspetto un po' stravagante e dai modi così poco comuni.

Lo incontrai, ma sarebbe meglio dire che mi scontrai con lui in ospedale, a Londra. La prima impressione fu assolutamente negativa: non mi piaceva per niente e mi stupiva molto che il mio amico trovasse in lui delle qualità. Mi sembrava solo un esibizionista bizzarro con i suoi capelli lunghi, che si ostinava a suonare la chitarra anche se non ne era capace, e poi il suo canto era così stonato...». Piano, piano però accadono alcuni fatti che trasformeranno il loro rapporto conflittuale in una solida amicizia. Anche se in trent'anni i litigi non sono certo mancati.

È ancora Maria a parlare: «Un giorno, in corsia, un giovane italiano mi preannunciò che stava arrivando la sua fidanzata dall'Italia per abortire. Nel nostro Paese era ancora reato. Ne parlai con padre Carmelo e insieme cercammo di convincere il ragazzo a non rinunciare al suo bambino. Acquistai un paio di scarpine bianche da neonato e gliele regalai per fargli percepire che quello che stava arrivando era un bambino vero... Il giorno seguente, il ragazzo mi restituì le scarpine e io capii che il bambino non c'era più. Ci ritrovammo io e Carmelo a piangere per questo bimbo mai nato. In un cassetto conservo ancora le scarpine bianche come segno di una sconfitta. Quella battaglia, anche se persa, ci unì moltissimo e fu la prima di tante.

Sempre in quel periodo, un venerdì sera, mi telefonò per chiedermi di ricoverare un ragazzo colpito da morbillo. La mia risposta, ovviamente, fu negativa: non c'era alcuna ragione per una degenza ospedaliera. Ma Carmelo insistette e mi spiegò che il giovane era stato sfrattato dalla padrona di casa, perché si era coperto di macchioline rosse e non aveva un posto dove andare. E così feci in modo di ricoverarlo. Con questo Carmelo mi ha insegnato che certe volte bisogna saper superare le regole per poter aiutare l'uomo».

Ci fu un altro episodio, accaduto molti anni dopo, che aiuta a conoscere meglio Carmelo. Lo ricorda ancora Maria: «Eravamo tornati, Roberto e io, a Londra per un convegno scientifico. Una sera, prima di andare alla cena di gala, passammo a salutare Carmelo. Lui era nel suo ufficio, al primo piano, che tanti ragazzi conoscono molto bene. Era, come sempre, indaffarato, circondato da giovani più o meno arruffati, ognuno con una richiesta diversa. Alla fine, prima di salutarlo, gli chiedemmo se aveva bisogno di qualcosa. Lui rispose senza esitazioni: «Uno dei vostri ombrelli per quel ragazzo!». In quel momento ci sarebbe costato poco offrirgli del denaro, ma l'ombrello era la nostra difesa contro il maltempo.

Eravamo eleganti e non volevamo fare brutta figura con i nostri colleghi, presentandoci inzuppati, e pioveva a dirotto. Roberto gli diede il suo ombrello. Arrivammo alla cena un po' bagnati e disordinati. Quel giorno Carmelo mi ha insegnato che la carità significa dare al momento giusto la piccola cosa necessaria al prossimo, anche se è la più preziosa in quel momento per te».

Dal giorno del loro difficile incontro, Carmelo e Maria sono sempre rimasti legati da un'amicizia che ha superato la lontananza geografica (Maria nel frattempo era tornata in Italia), e anche lunghi periodi di silenzio. Un legame che è diventato ancora più forte dopo la morte improvvisa, nel 1984, di Roberto. Ora stanno lavorando insieme a una grande impresa: il St. Peter's Project.

Primi anni londinesi. Padre Carmelo è triste, si trova male in una città che sente ostile, la sua energia si sta esaurendo, anche la sua fede vacilla e non trova alimento nelle attività quotidiane. Il suo desiderio di migliorare il mondo, di riequilibrare le sorti del pianeta tra ricchi e poveri, sta naufragando. «Rimpiangevo il periodo trascorso a Roma con gli amici, quando contestavamo e incitavamo il popolo alla lotta armata, seduti a terra, mai vestito da prete. Spesso quelli con cui parlavamo non immaginavano lontanamente che fossi un sacerdote. Se non ho imbracciato il mitra è stato un puro caso».

Di questo lui ne è convinto, ma chi lo conosce bene sa che un tale proponimento non si sarebbe potuto concretizzare. Il suo amore per la vita, per il prossimo, non gli avrebbe consentito di lasciarsi trascinare a una deriva violenta. Ma con i terroristi, di destra e di sinistra, i conti poi li ha dovuti fare. E non come militante della lotta armata. Qualche anno dopo li ha incontrati in carcere, in Inghilterra, ma anche in Italia, diventando il loro confessore, l'amico con cui poter parlare, e affidare pentimenti, ripensamenti o la ricerca di un perché di alcune scelte che hanno insanguinato la storia.

L'incontro
con i neocatecumenali

Carmelo cercava disperatamente di infondere uno spirito critico, una riflessione più profonda, tra i suoi parrocchiani italiani e inglesi, in particolare tra gli studenti. Inutile elencare gli ostacoli che si trovò a fronteggiare. « Avevo davanti dei giovani inglesi amorfi, passivi. Caratteristiche che contraddistinguono ancora oggi le nuove generazioni. Non si appassionavano a nulla, erano freddi verso ogni novità. Ma non potevo stare con le mani in mano, e così organizzai per la domenica pomeriggio una messa particolare, soprattutto per i figli degli emigrati e per gli studenti italiani che vivevano a Londra. Ogni festività, alle diciassette, c'era questo appuntamento in chiesa, per una celebrazione più partecipata e coinvolgente. Dopo ci si confrontava, e si discuteva dei problemi incontrati nel corso della settimana.

Iniziai con il coinvolgere un gruppetto di ragazzi più sensibili e organizzai visite agli ammalati. Un giorno venne a trovarci don Giulio Giuli, un neocatecumeno. Partecipò alla nostra messa e mi suggerì di invitare dei catechisti del cammino neocatecumenale per contribuire al rinnovamento della parrocchia», ricorda oggi padre Carmelo, che in quel momento non sa ancora quanto questo incontro cambierà la sua esistenza.

«L'idea mi piacque molto e così, tornando a Roma per le vacanze estive, presi contatto con tre catechisti: Giuseppe Gennarini di Roma, don Antonio Mangialardo di Brescia e la spagnola Carmen. Questi furono molto entusiasti della mia proposta e si resero disponibili a venire alla St. Peter's. Parlavano un linguaggio nuovo, mi sembravano le persone adatte per portare una ventata di novità tra i nostri connazionali. Prima di organizzare il loro viaggio, però, dovevo ottenere l'autorizzazione del mio parroco, don Alfredo Di Terlizzi. E così, appena rientrato a Londra, presentai la mia idea che lui accettò senza riserve. Siamo nel 1973.

I tre catechisti arrivano sulle sponde del Tamigi e mi ripropongono il loro programma, lo sottopongono al parroco, parlano della missione della Chiesa. Ma il loro messaggio non piace, perché espresso con enfasi, al limite del fanatismo. Così don Alfredo, irre-movibile, ritira il parere favorevole e mi chiede di allontanarli dalla nostra comunità. Toccò a me comunicarglielo con molto, molto imbarazzo. Mi senti-vo responsabile di averli fatti venire fi-no in Inghilterra, e pertanto mi impe-gnai per trovare una comunità dispo-nibile ad accoglierli. Li misi in contatto con la Congregazione degli Scalabri-niani e don Tarcisio Rossi, un missio-nario della Consolata, accettò di ospi-tarli nella loro casa di North Villas, a Campden Towm. Avevo fatto il mio dovere, mi sentivo in pace con me stes-so. E a quel punto, anche un po' egoi-sticamente, mi dimenticai completa-mente di loro».

Ma loro non si dimenticarono di lui.

Passano alcuni mesi e tre preti di Bedford invitano i tre catechisti neoca-tecumeni a predicare la catechesi ai lo-ro parrocchiani. «Io mi sentivo solle-vato dal loro allontanamento. In realtà mi avevano creato qualche problema, e poi erano petulanti. Mi continuavano a tormentare, erano veramente troppo insistenti. All'inizio mi giungevano notizie addirittura esaltanti sulla loro attività a Bedford, poiché raccoglieva-no un grande consenso. Ma durò poco.

Dopo pochi mesi i tre neocatecumeni tornarono a Londra, cacciati quasi a pietrate, con l'accusa di non essere cattolici e di far parte di una setta. Tornarono all'attacco con me. Riparlai allora con don Alfredo pregandolo di accoglierli nella nostra casa. Lui fu molto disponibile, considerati i problemi che avevano causato i tre catechisti. Mi pose una sola condizione: occuparmi di tutto e non coinvolgerlo in nessun progetto con loro. E mi mise in guardia, assicurando che mi avrebbe considerato responsabile delle loro azioni. Non avevo cambiato idea su quei tre, eppure continuavo a sentirmi in obbligo».

Padre Carmelo invita i tre catechisti a partecipare alla messa pomeridiana con i giovani per svolgervi la catechesi. «All'inizio c'era molta gente, anche solo per curiosità, dato che i tre attuavano un metodo alternativo. Usavano un linguaggio duro, parlavano a voce alta, spesso predicavano urlando. Durante la catechesi mi trattavano come uno dei tanti fedeli senza considerarmi come un prete. E poi non mi convinceva fino in fondo il loro modo di vivere il Vangelo e di predicarlo. Erano troppo duri. Partii per un viaggio in Russia che durò una decina di giorni. Al mio rientro fui sommerso dalle critiche da parte di alcuni ragazzi, che non condividevano l'approccio dei tre neocatecumeni alla catechesi. Ero sempre più perplesso. Mi comunicarono che il ciclo di formazione si sarebbe concluso con un weekend di preghiera. Pensai, va bene, dopo questo incontro li caccio e non mi sentirò più in colpa».

Siamo all'inizio del 1974. Un venerdì sera, a marzo, durante la quaresima, parte dalla St. Peter's un gruppetto di oltre trenta persone della parrocchia, tra i quali c'è anche Carmelo, ignaro di cosa lo aspetta. La comitiva sale su un pullman: li attende un viaggio verso il Surrey. Trascorreranno il fine settimana in una casa di ritiro di suore.

«La prima impressione, lontano dalla mia parrocchia, immerso nel silenzio del convento fu di aver accettato l'invito di tre esaltati, presuntuosi e superbi. Ci avevano promesso momenti di grande intensità spirituale. Invece mi dicevano che non avevo mai incontrato Cristo, che dovevo assolutamente convertirmi, che tutto il mio modo di essere prete e credente era assolutamente falso. Non riesco a spiegare come accadde, ma le loro parole penetravano dentro di me, e a tratti mi pareva che in fondo, ma molto in fondo, mi stessero dicendo la verità. Il venerdì sera si svolse la liturgia del lucernario. Per pochi minuti vennero spente le luci, rimanemmo al buio, e ci invitarono a riflettere: eravamo tutti insieme, ma nell'oscurità non riuscivamo a riconoscerci. Questa è la nostra vita: siamo vicini, ma non riusciamo a vederci. Su queste considerazioni ci invitarono a meditare e a ripensare a tutta la nostra esistenza. Dopo qualche minuto, il sacerdote, don Antonio, fece il suo ingresso nella stanza con il cero pasquale acceso, segno di Cristo risorto capace di spezzare le tenebre e far risplendere la luce.

L'indomani i catechisti ci proposero una panoramica sulla storia del cristianesimo e sul senso dell'eucaristia. Per me fu una vera e propria novità. Sentivo queste verità per la prima volta. Ci fecero rivivere l'Ultima cena e chiesero ad ognuno di noi di ripercorrere la propria vita in questa ottica. E alla sera si celebrò l'eucaristia. Fu allora che esplose in me qualcosa di straordinario, di inaspettato, un'esperienza unica, anche traumatica che non avevo cercato. In un secondo, all'improvviso, un miracolo. Ho sentito come se un grosso peso fosse scomparso del tutto dalla mia vita. Una sensazione di pace, di tranquillità, di gioia profonda mi invase. Era avvenuto il mio incontro con Cristo. L'eucaristia, il suo corpo che si dona gratuitamente a ognuno di noi, cominciava ad assumere un senso per me. Il Signore mi stava aspettando al varco per cambiarmi la vita e il cuore».

Sarebbe semplicistico affermare che il nostro pallottino fu folgorato come san Paolo sulla via di Damasco. Ma di certo quel giorno cambiò radicalmente il suo modo di vedere la vita.

Padre Carmelo non modifica il ritmo delle proprie giornate, ma da quel momento, giorno dopo giorno, dà un significato diverso alle proprie azioni. Rilegge il suo passato con occhi nuovi, rivaluta tante esperienze o, meglio, le comprende nel loro autentico valore.

Il suo racconto ritorna a quella Pasqua del 1974.

«La mattina seguente, domenica, dopo le lodi, i tre catechisti ci proposero il sermone della montagna (Mt 5,8). Ne fui profondamente toccato, anche se da una parte sentivo nascere dentro un senso di ribellione contro quello che mi stavano dicendo. Per la prima volta ascoltavo con attenzione, cercando di comprendere il senso delle sacre Scritture e non riuscivo ad accettare quel "beati i poveri", ma ancora meno "offri l'altra guancia". Innumerevoli volte avevo pregato recitando queste parole, senza avvertire il loro profondo significato. Ora mi rendevo conto del loro grande valore e avevo molte difficoltà ad accettarle. Ricordo ancora le parole tratte da Matteo (5,43-47), "Sapete che è stato detto: Ama i tuoi amici e odia i tuoi nemici. Ma io vi dico: amate anche i vostri nemici, pregate per quelli che vi perseguitano. Facendo così, diventerete veri figli di Dio, vostro Padre, che è in cielo. Perché egli fa sorgere il suo sole sui cattivi e sui buoni e fa piovere per quelli che fanno il bene e per quelli che fanno il male. Se voi amate soltanto quelli che vi amano che merito avete? Anche i malvagi si comportano così! Se salutate solamente i vostri amici, fate qualcosa meglio degli altri? Anche quelli che non conoscono Dio si comportano così! Siate dunque perfetti, così come è perfetto il Padre vostro che è nei cieli"».

Come poteva Carmelo accettare un tale insegnamento, proprio lui, che per anni si era battuto contro i privilegi dei ricchi, aveva lottato per abbattere le istituzioni considerandole il nemico? E, ancora meno capiva il significato delle parole: «Ma io vi dico di non opporvi al malvagio».

Carmelo ricorda: «Non riuscivo neanche a comprendere il senso letterale di queste parole. Per molti anni la mia mente ha rifiutato questo concetto. Ma dopo questo ritiro ho iniziato un lungo percorso, che dura ancora oggi, con i neocatecumenali. Uomini e donne, che mi hanno aiutato e mi aiutano a comprendere il senso vero delle parole di Gesù Cristo».

Un cammino per diventare cristiani che hanno percorso in tanti, uomini e donne, in oltre 105 nazioni, per trent'anni. Un percorso che è sfociato il 28 giugno del 2002 nel riconoscimento da parte della Santa Sede dello «Statuto del Cammino Neocatecumenale». Ci sono voluti cinque anni di lavoro per l'approvazione dello Statuto, anche perché le figure giuridiche più usate dal Codice di Diritto Canonico sono quelle di associazione o fondazione, che non corrispondono alla natura del cammino neocatecumenale. Ed è stato consegnato solennemente agli iniziatori del cammino, Kiko Arguello e Carmen Hernandez insieme con padre Mario Pezzi e al cardinale James F. Stafford, presidente del Pontificio Consiglio dei Laici, il Dicastero a cui il Santo Padre ha affidato il compito di guidare l'elaborazione dello Statuto.

Nel sito ufficiale del Cammino Neocatecumenale (www.camminoneocatecumenale.it) è spiegato in modo dettagliato l'iter che è stato compiuto dai fondatori per ottenere il riconoscimento. «Il Cammino Neocatecumenale» – si spiega – «non è stato approvato come un'associazione, un movimento o una congregazione religiosa, ma rispettando e confermando l'intenzione degli iniziatori, come un itinerario di iniziazione cristiana per la riscoperta del battesimo, cioè un catecumenato post-battesimale al servizio delle diocesi e delle parrocchie. Un gesto di grande rilevanza: si tratta del primo catecumenato post-battesimale riconosciuto ufficialmente dalla Chiesa cattolica». Un passo ufficiale che formalizza un riconoscimento già concesso da Giovanni Paolo II nel 1990, quando indicò il cammino come un «itinerario di formazione cattolica valido per la società e i tempi moderni». Il Papa, in una lettera a monsignor Paul Jopsef Cordes, il 30 agosto 1990, scriveva:

« Nei tanti incontri avuti come Vescovo di Roma, nelle parrocchie romane, con le Comunità Neocatecumenali e con i loro pastori e nei miei viaggi apostolici in molte nazioni, ho potuto constatare copiosi frutti di conversione personale e fecondo impulso missionario ».

Lo statuto è composto da 35 articoli. Nel primo sono descritti i quattro beni spirituali che costituiscono il Cammino: il neocatecumenato o catecumenato post-battesimale; il catecumenato per non battezzati secondo le indicazioni dell'Oica (*Ordo Jnitiationès Christianae Adultorum* - Iniziazione cristiana degli adulti); l'educazione permanente delle comunità che continuano in parrocchia dopo aver terminato il neocatecumenato; il servizio alla catechesi, come ad esempio, il ritorno allo schema primitivo di evangelizzare per mezzo di équipe itineranti disposte ad andare in tutto il mondo in base al mandato del loro battesimo.

Un Cammino che si attua « sotto la direzione del Vescovo » e secondo « le linee proposte dagli iniziatori » e che inizia nel 1964 tra i baraccati di Palomeras Altas, a Madrid. Quattro anni dopo gli iniziatori del Cammino giungono a Roma e si stabiliscono nel Borghetto

Latino. Con il permesso del card. Angelo dell'Acqua, allora vicario generale di Roma, iniziarono la prima catechesi nella parrocchia di Nostra Signora del Santissimo Sacramento e santi Martiri Canadesi. Da quegli anni il Cammino si è diffuso in diverse diocesi di tutto il mondo, compresi i Paesi di missione. E a Londra arrivano chiamati da Carmelo.

All'epoca della sua «conversione», Carmelo non aveva un buon rapporto con il parroco don Alfredo; i litigi e le incomprensioni erano all'ordine del giorno. «I tre catechisti sostenevano che era colpa mia, che il problema era solo mio e non di don Alfredo. Mi accusavano di essere un peccatore. Mi rivolgevo a loro cercando consolazione, conforto, un aiuto per capire quello che mi stava accadendo, le nuove sensazioni che stavo provando... E invece ricevevo solo risposte dure e molte critiche. Ora so che avevano ragione, quello era il messaggio di verità. La religione che avevo professato fino ad allora era un'altra cosa. Ho percorso molta strada, non è stato facile, i dubbi sono stati tanti, mi chiedevo se non stavo esagerando. Ma se si riesce a comprendere il senso della croce, tutto assume un significato nuovo e autentico. Finalmente riuscivo a comprendere Dio che si è rivelato attraverso suo Figlio».

Giuseppe, Antonio e Carmen con il loro metodo brusco, duro, scioccante sono riusciti ad arrivare al cuore di Carmelo e l'hanno aiutato ad incontrare Cristo. Può sembrare assurdo, paradossale, ma sono veramente infinite le strade che portano a Dio.

Don Tonino Lotti ricorda com'era Carmelo ai primi tempi dopo l'incontro con i neocatecumeni. «Era il 1975. I miei superiori mi proposero di andare a Londra, accettai. Carmelo mi accolse e iniziò subito a litigare. Era aggressivo, voleva vendere tutti i beni della parrocchia e donare il ricavato ai poveri di Westminster. Mi diceva che dovevo convertirmi, perché non avevo ancora incontrato Cristo. Discutemmo per sei giorni, seguiva uno schema suggerito dai suoi nuovi compagni di fede. È stato l'unico periodo in cui non riuscivamo a capirci, litigavamo su ogni argomento. Per fortuna fu una fase della sua vita che passò in fretta. Non abbiamo più affrontato la questione della sua appartenenza ai neocatecumeni. Ognuno è rimasto della sua idea. Lui certamente è diventato più saggio e meno assolutista. Ho sempre ammirato in lui la spiritualità, la sua grande libertà interiore già ai tempi della scuola».

San Vincenzo Pallotti e la St. Peter's Church

Prima di tutto Carmelo è un parroco. Ma per lui la parrocchia non è solo uno spazio architettonico definito, limitato a una comunità di uomini e donne. I parrocchiani sono tutti coloro che bussano alla sua porta, da qualsiasi posto arrivino. La St. Peter's incarna pienamente la sua concezione di comunità parrocchiale. La chiesa è un punto di riferimento per tutti gli italiani che vivono a Londra, ma anche per coloro che vi trascorrono un periodo di vacanza, di studio, di lavoro, di chi fugge da un passato con cui non riesce a fare i conti. San Vincenzo Pallotti aveva avuto un'intuizione profetica quando iniziò la costruzione di questa chiesa.

Vincenzo Pallotti nacque a Roma nel 1795 in una numerosa famiglia (dei suoi nove fratelli, cinque morirono in tenera età) molto devota e benestante. Fin da piccolo, Vincenzo manifestò un particolare interesse per i poveri e a quindici anni decise di diventare prete. Studia presso il collegio Romano e frequenta l'università la Sapienza. Il 16 maggio 1818 viene ordinato sacerdote. Per dieci anni insegna teologia alla Sapienza. Una prestigiosa carriera universitaria che decise di interrompere per dedicarsi completamente alla predicazione. Una scelta legata alla sua vocazione. Prima di essere ordinato aveva annotato le sue aspirazioni spirituali sul diario: « Non l'intelletto, ma Dio. Non la volontà, ma Dio. Non l'anima, ma Dio (...). Non i beni terreni, ma Dio. Non le ricchezze, ma Dio. Non gli onori, ma Dio. Non l'onorificenza, ma Dio. Non le alte cariche, ma Dio. Non la carriera, ma Dio. Dio sempre e ovunque ». (Tratto da: *Il libro dei santi*, Ed. EMP 1987).

Sempre al servizio di tutti, Vincenzo Pallotti si impegnò in numerosi progetti. Fondò le scuole per giovani lavoratori, organizzò interventi mirati durante l'epidemia del colera nel 1837. Amico di soldati e prigionieri, fu un uomo sensibile ai cambiamenti della rivoluzione industriale, un prete preoccupato per la rigidità delle strutture clericali, in particolare per la divisione – o meglio la rivalità – tra clero secolare e regolare, e per la passività del mondo laico. Tra i romani si parlava di lui come «dell'apostolo di Roma». Intuì in anticipo sui tempi la necessità di un rinnovamento dello spirito apostolico all'interno della Chiesa, e fondò la Pia Unione dell'Apostolato Cattolico: un gruppo di ecclesiastici e laici. Una unione dove c'era spazio per tutti: uomini e donne, giovani e vecchi, ecclesiastici, religiosi e laici. Affiancò all'unione un gruppo di preti che potessero dedicarsi a tempo pieno agli scopi del nuovo movimento (oggi sono conosciuti come Pallottini). Nacque così la Società dell'Apostolato Cattolico. La nuova congregazione, agli inizi, non ebbe vita facile. Ostacolata, in particolare, dall'Associazione per la Propaganda della Fede di Lione che sosteneva come i Pallottini avessero copiato la loro missione. Riuscì a sopravvivere anche grazie all'intervento di papa Gregorio XVI, da lui stesso sollecitato.

Don Pallotti era molto amico del futuro cardinale Nicholas Wiseman, anzi fu proprio lui a suggerirgli di fondare un istituto per le missioni straniere in Inghilterra. Wiseman, a sua volta, propose questo progetto a Herbert Vaughan, che lo mise in pratica fondando la Società Missionaria San Giuseppe a

Mill Hill. È nei primi anni del 1840 che don Vincenzo inviò Raffaele Melia (tra l'altro suo primo biografo) ad aprire una missione in Inghilterra.

Intanto, a Roma continuava la sua opera in favore dei derelitti, creando anche qualche invidia e gelosia tra i sacerdoti più anziani. Morì il 22 gennaio 1850 per una pleurite. Due anni dopo vengono compiuti i primi passi per la sua canonizzazione: beatificato da papa Pio XII il 22 gennaio 1950, le sue reliquie sono state poste sotto l'altare maggiore di San Salvatore a Roma. Papa Giovanni XXIII, nel 1962, ha detto del beato Vincenzo Pallotti: «La Fondazione della Società dell'Apostolato Cattolico ha rappresentato a Roma la prima pietra dell'Azione cattolica che oggi conosciamo». L'anno successivo, il 20 gennaio 1963, il beato Vincenzo è stato canonizzato. Così lo definiva Paolo VI: «Vincenzo Pallotti ha anticipato di circa cent'anni una scoperta. Ha scoperto nel mondo dei laici una grande capacità di lavoro. Questa capacità era infatti passiva, dormiente, timida e incapace di agire. Vincenzo Pallotti ha svegliato la coscienza del mondo laico».

Ora, i Pallottini sparsi nel mondo sono diverse migliaia, e sono presenti in tutti i continenti. Vi sono comunità in 45 Paesi: dall'Italia all'Inghilterra, dalla Polonia alla Bolivia, dalla Colombia al Messico, agli Stati Uniti, fino in Australia.

Il messaggio di San Vincenzo Pallotti è attuale ancora oggi

Ecco come lo tratteggia padre Carmelo: «Nell'Ottocento è stato un uomo profetico e in un certo senso anche rivoluzionario. Ha ridisegnato una Chiesa fondata sul popolo di Dio, anticipando il messaggio del Concilio Vaticano II, in base al quale "ogni battezzato in forza di questo sacramento è un apostolo". Aveva un forte ardore apostolico, traspare in modo evidente nelle sue opere di carità. È un santo ancora poco conosciuto che merita di essere riscoperto. Aveva un cuore grande, sempre pronto ad ascoltare chi voleva chiedere perdono a Dio. Non c'era povero a Roma che non lo conoscesse».

Per comprendere meglio in quale contesto opera padre Carmelo, può essere utile compiere un ulteriore passo a ritroso nel tempo e scoprire le origini storiche della chiesa italiana a Londra. La chiesa italiana di San Pietro a Londra viene completata nel 1863. Si tratta di un avvenimento eccezionale. In un contesto ancora fortemente ostile alla religione cattolica, si realizza a poche centinaia di metri dalla cattedrale anglicana di San Paolo la più grande chiesa cattolica in Gran Bretagna. E, quasi a sottolineare la sfida, viene dedicata a san Pietro. Per cogliere il significato di tale avvenimento è necessario ripercorrere il cammino dei tre uomini che hanno concepito e poi realizzato questo grande progetto: san Vincenzo Pallotti, padre Raffaele Melia e padre Giuseppe Faà di Bruno. Lo spiega bene il volume «La chiesa italiana di san Pietro a Londra», di Luca Matteo Stanca, che racconta la storia della chiesa. È un libro dedicato alla memoria di padre Roberto Russo e ideato da padre Carmelo.

Alla fine del Settecento, in Inghilterra, le leggi contro i cattolici erano severissime: era proibito praticare apertamente il culto cristiano. I cattolici italiani sono ancora poco numerosi, ma a partire dai primi decenni dell'Ottocento, dopo le guerre napoleoniche, i flussi di immigrazione verso la Gran Bretagna diventano sempre più consistenti. A Londra vive don Raffaele Melia, cappellano presso la Cappella reale sarda con l'incarico di seguire le funzioni per i cattolici italiani. Tornato in Italia diventa il primo membro dell'Apostolato Cattolico, e rivela a don Vincenzo Pallotti il suo desiderio di dedicarsi completamente al ritorno in Inghilterra dell'unità della Chiesa.

Nel 1844 padre Melia parte per Londra con la benedizione di papa Pio IX, ma si ferma a Torino, dove incontra un giovane e brillante sacerdote: don Giuseppe Faà di Bruno. È il fratello del futuro beato Francesco e secondo figlio del Marchese Faà di Bruno, originario di Masio, paesino piemontese. Gli trasmette l'entusiasmo per la sua nuova missione e, soprattutto, per l'opera di Vincenzo Pallotti, al punto che Faà di Bruno decide di diventare pallottino. Padre Melia sente sempre più urgente la necessità di poter celebrare la messa per gli italiani, che sono diventati più numerosi e spesso non comprendono l'inglese. Chiede il permesso, ma non gli viene accordato. A questo punto ne parla con don Vincenzo Pallotti e si sviluppa l'idea di costruire una nuova chiesa.

« Nel frattempo, all'inizio del 1847, è arrivato a Londra padre Giuseppe

Faà di Bruno, al quale sono affidati la guida spirituale della comunità cattolica italiana e il progetto della realizzazione della chiesa italiana», riporta il succitato libro. Dopo molte peripezie e difficoltà, nel dicembre del 1852 viene firmato il contratto di acquisto del terreno in Clerknweell Road. Ci vorranno tuttavia altri dieci anni, fino al 16 aprile 1863, per l'inaugurazione della St. Peter's. E la chiesa non è neppure completata.

Nel corso degli anni sono state eseguite alcune modifiche: l'interno della chiesa lasciava stupefatti per la ricchezza e la raffinatezza delle decorazioni, opera degli artisti piemontesi Arnaud e Gauthier. Oggi l'aspetto risente fortemente degli interventi compiuti nel 1920 e delle radicali modifiche effettuate nel 1953. L'anno prima la chiesa era stata consegnata dalla provincia irlandese a quella italiana dei Pallottini, ed era stata definita come parrocchia per gli italiani di Londra e parte dell'Arcidiocesi di Westminster.

La St. Peter's è già parrocchia, quindi, quando padre Carmelo giunge a Londra e inizia la propria attività di prete pallottino. Nel 1975 lo raggiunge padre Roberto Russo. Ricorda Carmelo: «Roberto e io abbiamo condiviso la vita della parrocchia per ventisette anni. Abbiamo creato una comunione nella diversità. Il nostro rapporto era basato sull'onestà e sulla sincerità. Ci dicevamo sempre tutto. Nonostante i dissensi ci siamo sempre sostenuti. Abbiamo cercato di vivere la parrocchia come una grande famiglia dove si discute, si litiga, si chiariscono le questioni e si perdona. Sempre al servizio degli altri. Dio ci ha posto come pastori al servizio di un popolo. Certo, non sono mancate le difficoltà, non è stato sempre facile, ognuno di noi aveva i suoi tempi e le sue esigenze. Ma noi avevamo scelto di essere sempre disponibili per tutte le persone che avrebbero bussato alla nostra porta.

Un giorno Roberto mi disse: "Noi due abbiamo rinunciato completamente alla nostra vita privata di comunità pallottina per gli altri. E così abbiamo scelto di raccogliere ciò che altri scartano. Li abbiamo accolti nella nostra casa, a volte è stato un rischio. Ha stravolto la nostra vita di comunità di preti, ma anche quella della parrocchia. La nostra forza è stata la comunione tra di noi". Ma anche la grande opera di mediazione. E qui mi viene in mente la parabola del Figlio prodigo, del ruolo di mediazione che compie il padre tra i due figli».

La parrocchia di Carmelo è una comunità un po' particolare, il luogo dove la tradizione del popolo italiano si è conservata negli anni. Varcata la soglia della casa parrocchiale si viene accolti dai profumi del nostro Paese. Nell'aria aleggia l'aroma di pasta al sugo rosso. Nella dispensa sono allineate bottiglie di olio, vasetti di erbette, pacchi di pasta, barattoli di conserva. E non manca il caffè espresso. I mobili ricordano le case dei paesi del Sud. Sugli scaffali ci sono in mostra libri e riviste italiani. E i manifesti che tappezzano le pareti rievocano spiagge mediterranee e le vette delle Dolomiti. Ma sono le persone che la frequentano che tengono vivo il ricordo delle tradizioni e della nostra cultura.

«Appena arrivato», confessa Carmelo, «volevo cancellare tutte le tradizioni come le processioni, l'uso dell'incenso, certe cerimonie, ma ora ho capito quanto erano e sono importanti per noi. Gli immigrati si sono integrati perfettamente, in questa terra sono cresciuti i loro figli, ma anche grazie alla parrocchia hanno mantenuto un forte legame con le loro radici. Hanno potuto offrire alle nuove generazioni un luogo, proprio nel cuore di Londra, dove si respira aria di Italia».

Una fredda sera di febbraio, ero ospite di padre Carmelo alla Italian Church, quando Angela (è un nome di fantasia), una volontaria della parrocchia, terminata la riunione settimanale, lo chiama e gli chiede di uscire in strada. Parcheggiata davanti al portone di Back Hill c'è una fiammante Mercedes Classe A. La richiesta di Angela è molto semplice: vuole la benedizione della sua nuova vettura. E Carmelo con calma trova la formula esatta e procede sotto la pioggia tra gli sguardi indifferenti dei passanti alla benedizione dell'auto. Storia di oggi, degli anni Duemila.

«In trent'anni sono cambiate tante situazioni, è diverso il mondo intorno a noi, sono altre le emergenze degli italiani che arrivano oggi a Londra, per viverci o di passaggio. Oggi ci dobbiamo confrontare con culture diverse, con religioni diverse. Al corso prematrimoniale si presentano coppie con le situazioni più strane: lui cattolico, lei musulmana; lui ebreo e lei cattolica. E ancora lui che si dichiara cattolico, senza neppure saperne il significato, e lei buddista. O storie ancora più complicate. Ma la preparazione per il matrimonio può essere l'occasione per una conversione. Ogni anno abbiamo persone che si convertono grazie alla testimonianza. Certo i giovani hanno abitudini e stili di vita differenti rispetto a trent'anni fa, ma noi ci adattiamo a questi nuovi tempi, alla storia che cambia. La parrocchia deve sapersi aggiornare, lì c'è la presenza di Cristo che parla al cuore della gente», sostiene Carmelo.

«Noi buttiamo un seme, Dio lo farà crescere secondo i suoi tempi», è questa la filosofia di Carmelo.

«Nella nostra parrocchia, in questo territorio dove abbiamo cercato di non dimenticare la tradizione di un popolo, la porta è sempre aperta per tutti, e le iniziative per discutere, approfondire l'attualità, e pregare sono veramente tante. Tutti insieme».

Carmelo è uno come noi

È una sera di fine estate. Un gruppo di amici cena, a Torino, in un ristorante vicino al fiume Po e all'Università che ospita le facoltà umanistiche, crocevia di tanti giovani di tutte le nazionalità. Stanno festeggiando il compleanno di Felice, un caro amico di Carmelo, un uomo straordinario, pugliese, con un cuore immenso e un sorriso contagioso. Due occhi che ti trapassano e ti conquistano. È uno psicologo, innamorato del suo lavoro, ma soprattutto della vita e di tutta l'umanità. In silenzio, con discrezione, sa ascoltare e aiutare con intelligenza le persone che incontra, sia in carcere, dove svolge la sua professione, sia nella vita sociale.

Custode geloso delle confidenze che riceve, con acutezza e lucidità riesce a fotografare il mondo carcerario di oggi. Non si stanca di andare alla ricerca di nuove strade di riscatto per il pianeta sempre più affollato delle prigioni. La porta della sua casa è sempre aperta, come la sua disponibilità. Nonostante i numerosi impegni, se qualcuno gli domanda un favore, lui non si tira mai indietro. Si entusiasma quando sente che si può impegnare per gli altri. Lo può fare anche perché al suo fianco c'è una donna speciale: Maria. Ottima cuoca, educatrice infantile, madre di due figli, condivide e spesso sollecita le scelte di Felice. Entrambi passano parte del loro tempo a Londra, alla St. Peter's, per sostenere i progetti di Carmelo.

Nel ristorante torinese Carmelo è il più allegro della compagnia. Coinvolge i ragazzi della tavolata accanto e poi, al brindisi, dopo il taglio della torta, quasi come se volesse prendersi gioco di loro, svela: «Sono un prete». Stupore, non ci credono: «Magari tu fossi un prete, sei uno come noi, parli il nostro linguaggio», gli dicono. L'aggancio è fatto, per il resto della serata i nuovi amici tempestano Carmelo di domande, gli raccontano la loro vita, gli chiedono come si vive nella capitale britannica. È normale. Ovunque vada Carmelo ha la capacità di instaurare un rapporto positivo con chi ha accanto. Sornione studia la situazione e poi attua la sua strategia. Il risultato? L'approccio è quasi sempre assicurato.

Altro episodio. Stesso ristorante, quasi un anno dopo. Carmelo è a Torino, per riprendersi da un periodo difficile che sta vivendo; sono passati alcuni mesi dal primo anniversario della morte di padre Russo.

La sala da pranzo è al primo piano. È una saletta riservata, con un televisore sempre acceso sugli eventi sportivi, dove quasi ogni giorno pranzano e cenano i giocatori e i dirigenti della Juventus. Un antico, ma sempre vivo desiderio di Carmelo è quello di invitare i calciatori più famosi a Londra per un incontro con i suoi parrocchiani. «Sarebbe un grande regalo per molti italiani; la maggior parte è tifosa della Juve».

E così appena siamo seduti al tavolo e gli diciamo che accanto a noi c'è il capitano della Juventus Antonio Conte, non ci pensa due volte. Con calma, ma risoluto, si avvicina al giocatore della Nazionale, che sta guardando la sua squadra in tv. Il campione è infortunato e segue con attenzione la sfida infrasettimanale che è stato costretto a saltare. Con semplicità Carmelo trova subito le parole giuste, delicate, per nulla invadenti, rispettose dell'altro. E dire che l'approccio poteva sembrare, all'apparenza almeno, un po' stravagante: Carmelo era vestito con un leggerissimo bermuda stile hawaiano azzurro e un camicione in tinta, ai piedi le inseparabili scarpe da tennis, i capelli arruffati sul collo. Non riuscivo a credere ai miei occhi, in pochi minuti sembravano vecchi amici. Carmelo riuscì a strappargli la promessa di una visita alla St. Peter's nella prima trasferta inglese della squadra.

Già al primo incontro, questo prete così anticonformista lascia un segno indelebile, sia che avvenga tra le mura di una cella, sia in un giorno di festa, davanti a un buon bicchiere di vino (cosa che peraltro non disdegna affatto). Carmelo è certamente quello che si dice una «buona forchetta», anche se a Londra la maggior parte dei suoi pasti li consuma velocemente in piedi, nella cucina dell'interrato, tra una telefonata e l'altra.

Sono gli stessi ragazzi a raccontare, nelle loro migliaia e migliaia di lettere, che cosa significa Carmelo per loro. E lo ricorda, una fra tutti, Valentina: «Carmelo è come uno di noi, ma è un vero prete. È grazie a lui che mi sono riavvicinata alla religione. Non poteva che essere così; stando con lui si capisce che c'è una forza superiore che lo aiuta e lo sostiene. Una forza che gli arriva dall'alto, dalla sua fede».

Carmelo è un prete, un vero prete, che è prima di tutto un uomo che ha incontrato Cristo, anche se, come dice lui, «i dubbi, le incertezze mi assalgono sempre», e che desidera condividere questa gioia con gli altri. È un prete che difficilmente parla per metafore o con riferimenti evangelici, ma li trasmette con la propria vita. Eppure quando si racconta, ripensa al proprio passato, alle esperienze vissute, alle scelte compiute, ritorna con insistenza alla parabola del «padre misericordioso» (Lc 15,11-32). La recita a memoria; ne è come rapito: «Figlio mio, tu stai sempre con me e tutto ciò che è mio è anche tuo. Io non potevo non essere contento e non far festa, perché questo tuo fratello era per me come morto e ora è tornato alla vita, era perduto e ora l'ho ritrovato».

Quanti giovani ha ritrovato Carmelo sulla sua strada, e quanti di loro hanno ritrovato la vita grazie a lui? Tanti, tantissimi e non solo drogati, carcerati, malati di aids, sconfitti, delusi. Sorge spontanea la domanda: «Carmelo, perché fai tutto ciò?». Risponde convinto: «È vero, potrei vivere tranquillo, senza difficoltà. Ma io vedo il volto di Cristo in ognuno di questi ragazzi e confesso che a volte è molto difficile. Vivo momenti di sofferenza, di lotta, di dubbio, di confusione, di indignazione, di sconforto. Ma il fatto è che Cristo sta bussando alla mia porta, e io? Non posso che dire di sì. Ho sofferto molto, per anni, per quello che mi dicevano e ancora mi dicono in parrocchia: "Questa gente non è degna di stare nella nostra comunità". E allora io mi domando chi ne è degno... ».

È proprio come nella parabola del buon samaritano, sempre attuale: « A questo punto Gesù domandò: Secondo te, chi di questi tre si è comportato come prossimo per quell'uomo che aveva incontrato i briganti? Il maestro della legge rispose: Quello che ha avuto compassione di lui. Gesù allora gli disse: "Va' e comportati allo stesso modo"» (Lc 10,35-37).

Padre Carmelo si commuove rileggendo questa parabola, è come se sgorgasse dal suo cuore. E la commenta così: « Se tu non vuoi vedere non vedrai mai la sofferenza, il dolore e il bisogno degli altri, per le strade del mondo (e passò oltre). Questa parabola stupenda la vedo innanzitutto nella mia vita. Ar-

rivano tutti gli uomini da Gerusalemme, che è la città alta, e vanno a Gerico,
che è la città inferiore. Prima passa un
sacerdote che rappresenta la legge an-
tica che non sa fermarsi, perché non ha
risposte, poi passa un samaritano, che
è Cristo; egli vede, si ferma, si china e
ha compassione. Infatti, l'unico che si
può fermare è Cristo.

E allora oggi chi è che si può fermare e avere compassione di questa
umanità ferita e bisognosa di aiuto?
Ovvio, chi vive con lo spirito di Gesù;
diversamente che cosa può spingere
ad aiutare gli altri nelle situazioni più
difficili e complicate? Quante volte
succede che ti fermi a soccorrere un ferito per strada, e per la polizia il primo
sospettato sei tu? A molti può nascere
il dubbio: ma chi me lo fa fare? È veramente triste. Il buon samaritano invece si ferma. Ridona la dignità all'uomo. Gli lenisce le ferite con l'olio, il
suo amore, e lo porta nella locanda.
Un gesto bellissimo. E poi il samaritano paga tutte le spese. Al posto della
locanda io vedo la Chiesa. La Chiesa è
come un grande ospedale dove c'è posto per tutti: pazzi, schizofrenici, assassini, uomini che hanno stuprato
bambini.

Nella Chiesa c'è posto per tutti, perché Cristo (il buon samaritano) ha la possibilità di sanare ogni persona. Dio può ridare la vita nuova a chi si è macchiato anche del più grave delitto. È tutta lì la vita. Se non si crede in questo, allora l'incarnazione, la passione di Cristo, Cristo stesso, tutto è vano. Cristo è venuto a rigenerare l'uomo ferito dal peccato. Per chi lo vuole, naturalmente, perché Dio non forza mai. Ma se l'uomo accetta Dio allora sì, che si può trasformare da criminale in un santo. Lo ripeto: così tutto ha un senso; senza questo, nulla ha senso».

Carmelo sospira: «In fondo il messaggio è che il buon samaritano è qualcuno che si è chinato su di noi e ci ha ridato la nostra dignità. Dio ha svelato il mistero dell'uomo nella croce di Gesù Cristo, in questo c'è la risposta per ogni situazione umana. Accettando la croce tutto diventa chiaro e vero. L'uomo è ferito dal peccato, ingannato dal demonio, dal male. Io credo veramente al demonio, al potere immenso che possiede. Ne sono un esempio l'alcol e la droga, che tolgono dignità all'essere umano.

La vita ha reso alcuni ragazzi duri, insensibili, molti si suicidano perché non riescono più a vivere. Non c'è niente di più grande che ridare dignità a una persona; è come aiutarla a rinascere, iniziare una nuova vita. Ma chi si può fermare sulla strada?». Ripete con foga: «Chi è già stato ferito e qualcuno si è fermato per lui e l'ha aiutato a rialzarsi. Io credo che, chi non ha mai sofferto, non possa capire fino in fondo la sofferenza degli altri. Ma non posso neppure dimenticare che ogni uomo ha la sua croce e in quella croce ognuno ritrova la sua rinascita. C'è chi non riesce a dare un senso alla propria esistenza e si ribella alla croce, cerca di sfuggire pensando di trovare altrove la pace, ma non può trovarla, può girare ovunque, ma si porterà sempre dietro il suo malessere, la sua insofferenza, il vuoto dentro. Sono convinto che per rinconciliarsi con il proprio mondo interiore, non si può sfuggire da se stessi. Bisogna accettare la propria vita».

Gli angeli custodi

L'incontro con Cristo cambia la vita di Carmelo, ma non lo mette al riparo dai momenti difficili, dalle crisi, dai dubbi. Ci sono stati, e forse altri ce ne saranno.

Una crisi profonda lo coglie, all'improvviso, dopo la morte della madre. Una figura centrale nella sua vita. Una donna semplice, umile, buona e generosa. Una mamma che ha dedicato tutta la vita ai figli, alla famiglia. Una donna di grande fede, sempre disponibile verso chi le domandava aiuto. Non sapeva né leggere, né scrivere. Ricorda Carmelo: «Spesso, quando andavo a trovarla al paese, mi chiedeva di comporle i numeri telefonici perché non li sapeva riconoscere. Per tanti anni, nella mia gioventù, mi sono vergognato del fatto che fosse analfabeta». Un sentimento che ora, confessa, gli fa sentire un senso di rimorso.

Il giorno in cui mamma Rosaria muore, nel novembre del 1990, padre Carmelo è a Strasburgo, la città francese quasi al confine con la Germania, che ospita il Parlamento europeo. È uno dei relatori a un convegno internazionale sull'emigrazione. Ha dedicato molto tempo per preparare l'intervento: una volta tanto lo ha anche scritto per non tralasciare nessun messaggio. Il numero dei giovani drogati, malati di aids che incontra ogni giorno è sempre più alto. Settimana dopo settimana nuovi ragazzi bussano alla sua porta. Una situazione drammatica che tutti devono conoscere, soprattutto chi opera nel sociale in Italia. Una denuncia che da molti anni continua a ripetere ovunque trovi uno spazio per parlare e testimoniare. Per la verità di spazi non ne trova molti, soprattutto nella penisola. Qualche servizio sui giornali, un gruppo di amici che non lo abbandona mai, alcune apparizioni alla televisione. È soprattutto Maurizio Costanzo che lo invita nel suo popolarissimo talk show. Dopo la prima volta che lo ha sentito parlare, il giornalista ha capito quale «bomba per il bene sia Carmelo».

A Strasburgo, Carmelo ha appena terminato di leggere il suo intervento che ha suscitato grande interesse tra i partecipanti al convegno, quando arriva la telefonata da Londra. È padre Roberto che, cercando le parole meno crude, gli comunica che mamma Rosaria ha avuto un infarto: forte, molto forte. A nulla sono valsi i tentativi di rianimazione, in pochi minuti è spirata. È il dieci novembre. «Caddi nella più nera disperazione. Non potevo accettare di non vederla più da viva, di non sentire più la sua voce. Non riuscivo a ricordare l'ultima volta che ci eravamo parlati. Avevo un unico pensiero: arrivare il prima possibile da lei. Non riuscii a trovare un posto sull'aereo, con infinite peripezie dopo aver cambiato diversi treni, autobus, ricorrendo per alcuni tratti anche all'autostop, raggiunsi Sangineto. Fu un viaggio davvero allucinante. La bara era ancora aperta, arrivai in tempo per celebrare il funerale. Una cerimonia molto commovente, c'era tutto il paese. Di colpo compresi la grandezza di mia madre. I giorni seguenti furono tremendi. Mi sentivo in colpa per tutte le volte che da ragazzo mi ero vergognato di lei e della sua povertà. Ripensavo a quante occasioni avevo sciupato per incontrarla. Per anni avevo scelto di passare i pochi momenti di vacanza e di svago in altre parti del mondo, soltanto di straforo e quasi per caso ero stato da lei; non l'avevo incontrata neppure dopo la morte di mio padre. Sentivo un grande vuoto dentro.

La fede non mi era di nessun conforto. Proprio io che avevo sostenuto tanti uomini, donne, giovani e anziani, ora davanti alla morte di mia madre non avevo più parole di cordoglio per me stesso. Da una parte mi sembrava di non credere più in Dio, dall'altra lo accusavo di avermi portàto via mia madre. Proprio ora che avevo imparato ad apprezzarne le innumerevoli doti, ora che avevo scoperto dentro di me i grandi insegnamenti che mi aveva trasmesso: la bontà, la carità, la semplicità, l'amore per gli altri e la gratuità. Mi continuavo a domandare: Dio, perché non mi aiuti a superare questo dolore, forte e lacerante, che mi divora dentro?».

Mamma Rosaria ha lasciato un segno indelebile in Carmelo. «Mia madre era una persona di fede, molto umile, senza cultura. Devo confessare che l'ho riscoperta ancora di più dopo la sua morte. La sua è stata una vita semplice, completamente affidata alla volontà di Dio. Era molto contenta che fossi in seminario, lo considerava un onore, ma non ha mai insistito perché diventassi sacerdote. Da seminarista mi vergognavo a portare in casa i miei compagni di studio. Ora sono orgoglioso di mio padre e di mia madre, sono loro grato per i valori che mi hanno trasmesso. Grazie a loro ho capito la grandezza dell'umiltà. È proprio vero che il Signore esalta gli umili».

Il suo malessere era evidente, lo testimoniano le tante lettere dei suoi ragazzi dal carcere. Gli scrivono parole tenere, di solidarietà e di speranza. Per una volta sono loro a sostenerlo. Parole di cordoglio che lo aiutano lentamente a ritrovare la serenità. Traspare dalle loro missive il desiderio di ricambiare l'affetto e l'amore che Carmelo dona loro ogni volta che lo incontrano. Sono giovani che sanno cosa vuol dire la paura, affrontare le crisi, la solitudine, la lontananza da Dio. Dalle loro celle incoraggiano Carmelo a non lasciarsi abbattere, gli ricordano quello che lui, per il momento, sembra aver dimenticato: che Dio lo ama, come ama ogni uomo e donna sulla terra.

Carmelo incontra la morte quasi ogni giorno. Nei corpi dilaniati dall'aids o stroncati dall'eroina. Negli anziani, come nei giovani rapiti da un male incurabile o dalla violenza altrui. Ma quando la morte colpisce una persona della sua famiglia, dentro di lui scatta qualcosa, è come se si rompesse un meccanismo al suo interno: un black out. Tutto nella sua più profonda intimità diventa buio e arriva la crisi esistenziale che mette in dubbio la fede, l'amore per il prossimo, per se stesso.

È accaduto con sua madre, ma era già capitato anni prima per la scomparsa di suo padre, Domenico. Morto anche lui all'improvviso, senza che il suo fisico avesse dato qualche avvisaglia. Una mattina, era il 15 marzo del 1985, un'embolia lo aveva stroncato. Anche in questo caso Carmelo non era a Londra: si trovava a Liverpool come catechista itinerante. Anche questa volta è stato padre Russo a comunicargli la notizia. Sono anni difficili per Carmelo, quasi ogni giorno la polizia inglese lo chiama per identificare e benedire il corpo di un giovane, morto di overdose. Ragazzi che si spengono in assoluta solitudine, lontani dalla loro famiglia, negli angoli bui della metropolitana, in mezzo all'indifferenza della gente. Spesso la loro famiglia non sa neppure che sono in questa metropoli, o li crede immersi nello studio della lingua o a fare i camerieri o i cuochi per pagarsi gli studi. Non è un periodo facile, anzi.

Quando Carmelo giunge a Sangineto, la salma di suo padre è già stata composta dentro la bara. « Per me fu un vero shock. Celebrai il funerale quasi in uno stato di apatia, e dopo caddi in una prostrazione profonda. L'impatto con la morte di mio padre era stato tremendo. Non riuscivo ad accettarla. Era come se fossi diventato improvvisamente vecchio e sfiduciato, senza più energie. Mi rendevo conto di avere tante cose ancora da dire a mio padre e di non poterlo più fare. Da quando ero stato trasferito a Londra erano state poche le occasioni per passare un po' di tempo con i miei genitori, molto spesso per colpa mia. Ma come ho già detto, avevo scelto altre priorità, anche se li sentivo vicino, e percepivo il loro amore. Dopo la loro morte, avvenuta nell'arco di cinque anni, ho provato solo dolore e un senso di abbandono e di confusione. Oggi, a distanza di tanti anni, mi sento molto forte con loro due come angeli custodi. Ma è stato duro, molto duro riprendermi. E rielaborare il lutto».

Carmelo sente ancora il rimorso per non aver osservato fino in fondo il quarto comandamento, «onora il padre e la madre». Sente soprattutto la mancanza della mamma. E anche su questo punto la sua amica Maria può aiutare a conoscere meglio la personalità di Carmelo: «È un uomo emotivamente fragile, ha sempre avuto donne forti accanto a lui. Se da un lato questa emotività è la sua debolezza, dall'altra è senz'altro una delle sue più grandi ricchezze. Ha un cuore molto generoso».

Mamma Rosaria, Maria, Maria Laura, Angela, Onorina, Gabriella, Lucia, Rita, e tante altre donne, con il loro esempio, la loro amicizia, la loro solidarietà hanno permesso a Carmelo di essere quello che è: il buon samaritano che si ferma dove nessun altro ha il coraggio di farlo.

Ero carcerato
e mi avete visitato...

Non basta, quindi, aver incontrato Cristo per essere immuni da dubbi, paura, provare sconforto e rabbia nei confronti della morte, della sofferenza. Sentimenti che Carmelo ha vissuto sulla propria pelle, in più di un'occasione, ed è forse questo che gli permette di capire e condividere fino in fondo la sofferenza, la paura e le difficoltà di chi il Signore ha deciso di mettere sul suo cammino.

Sono passati quasi due anni dal suo arrivo in Gran Bretagna, quando Carmelo inizia a frequentare un carcere londinese di massima sicurezza: il Wormwood Scrubs. Confessa i carcerati giovani e meno giovani condannati, per lo più, per droga, ma anche per terrorismo, mafia, reati comuni. L'incontro con il mondo carcerario avviene per caso. O, forse, sarebbe più appropriato pensare che fu il Signore a indicargli questa strada.

È una tranquilla mattina. Squilla il telefono alla Italian Church: è il cappellano cattolico, inglese, del carcere di Wormwood Scrubs. Cercano un prete che parli italiano. Un ragazzo di Vicenza si è tagliato le vene, ma sono riusciti a salvarlo e ora ha chiesto di poter parlare con un sacerdote del suo Paese. «Andai subito», ricorda padre Carmelo, «e rimasi sconvolto dalla realtà che incontrai. Una cella dopo l'altra con tanti giovani italiani rinchiusi. Erano stati arrestati e poi condannati, spesso senza neanche aver capito bene il perché. In quegli anni, ma ancora oggi succede, molti di loro non sapevano neppure una parola di inglese. Vedevo i loro occhi spaventati, erano abbandonati a se stessi. La settimana successiva contattai il Ministero dell'Interno (Home Office) e chiesi il permesso di andare nelle altre prigioni inglesi. D'altronde, visitare i carcerati italiani, come l'assistenza agli ammalati, negli ospedali, è proprio una delle missioni che san Vincenzo Pallotti aveva assegnato alla chiesa londinese».

Da allora Carmelo non ha più smesso di incontrare i carcerati di tutte le prigioni del Regno Unito. Da Brixton a Pentonville. Da Wandworth a Wormwood Scrubs. Da Holloway a Belmarsh, oscure località di provincia e ancora tante altre. Di alcune strutture possiede addirittura le chiavi per aprire e chiudere le celle. Instancabilmente si fa ponte tra chi è dentro il carcere e chi sta fuori. È lui che mi ha permesso di conoscere che cosa succede al di là delle alte mura di cinta delle prigioni inglesi. Prima mi ha fatto incontrare i giovani detenuti nei parlatori. Ricordo ancora la prima volta. Era una mattina di agosto, fine anni Ottanta. Con altri volontari mi propose di andare a far visita a un gruppo di uomini e ragazzi rinchiusi nel carcere di Brixton. Accettai, seppure con molte remore e diffidenza. Temevo di incontrare malati di aids, giovani distrutti dalla droga, che avevano scelto liberamente quella strada, e pensavo che se lo meritavano di stare rinchiusi in una cella. Erano i sentimenti che provavo varcando il pesante portone del carcere. Ma quando sentii chiudersi la porta alle mie spalle, le mie sicurezze crollarono, capii che cosa si prova a non essere più liberi e mi sentii subito più vicina a chi era rinchiuso dentro quelle celle, anche se giustamente. I miei occhi incontrarono quelli di giovani spaventati, disillusi dalla vita, soli. Mi resi conto di essere stata cieca e insensibile.

Ancora più forte è stata l'esperienza che Carmelo mi ha permesso di vivere molti anni dopo. Questa volta sono entrata con lui nelle celle, ho visitato il carcere di sicurezza di Brixton: dalle cucine, da cui usciva un fetido odore di cibo rancido, alla palestra; dalle celle di isolamento al repartino per i malati psichiatrici. Ho parlato con i ragazzi, ho ascoltato le loro storie, ho visto i loro occhi illuminarsi nell'abbraccio con Carmelo. Ho sentito le loro richieste: una sigaretta, una telefonata particolare alla famiglia, un saluto a chi sta fuori, qualche spicciolo, un libro. «Abbiamo sempre bisogno di Bibbie, quando i giovani vengono arrestati e li incontro, è una delle prime cose che mi domandano», spiega Carmelo e quando, commossa, gli dico di aver percepito il loro desiderio di libertà, di una vita senza la droga, aggiunge con un po' di tristezza: «Non ti fare illusioni. La maggior parte di loro, la prima cosa che farà, usciti dal carcere, sarà di andare alla ricerca di un po' di roba». A Brixton ho anche visto il rispetto delle guardie carcerarie per il lavoro e l'impegno di questo piccolo, grande prete.

Il sacramento della riconciliazione

Ha incontrato assassini, ladri, rapinatori, trafficanti di droga, terroristi, uomini che si sono resi colpevoli dei più atroci abusi sessuali. Ha ascoltato la loro storia senza chiedere niente. «I momenti più belli sono quando uno di loro, a volte anche dopo molto tempo, mi chiede di confessarsi».

La confessione è diventato il sacramento centrale nella vita di Carmelo convertito: «Mi colpisce l'umiltà di chi si confessa, racconta i fatti precisi. Ho davanti la coscienza di un uomo che si è macchiato di un crimine e che lentamente acquisisce la consapevolezza del suo gesto e inizia un percorso di pentimento. Vedo uomini distrutti, disperati, che si sentono come un cumulo di macerie. Si sono resi conto del male che hanno causato e che hanno compiuto, sentono il bisogno di esternare ciò che provano dentro. Non esprimono il desiderio di uscire dal carcere, sentono anzi di dover giustamente pagare per i gesti che hanno compiuto (un po' come il buon ladrone sulla croce, alla destra di Gesù). Alcuni di loro sono così disperati perché pensano che Dio non li possa perdonare. Ed è qui che arriva come un balsamo il sacramento della confessione che permette alla creatura di rinascere a una vita nuova. Non sono le sbarre le vere catene per questi detenuti. Anche di fronte a una lunga pena, ho visto cambiare l'atteggiamento di molti di loro quando dentro si sono sentiti perdonati da Dio: sparisce la rabbia, l'odio. Ho toccato con mano la grandezza della confessione. Ho letto il dubbio soprattutto negli occhi di chi ha commesso i delitti peggiori contro i bambini. Ma è proprio qui che nasce l'annuncio. Cristo è morto sulla croce per tutti gli uomini, si è caricato di tutto il male dell'umanità. E poi è risorto. È Dio che parla, attraverso noi sacerdoti, con il sacramento della confessione, al cuore degli uomini. Ho confessato persone che avevano commesso atrocità molti anni prima, e che erano vissute nel rancore, nell'odio, in lite contro tutti gli uomini. Ma dopo aver accettato che Dio era morto anche al posto loro per salvarli, la loro vita si è trasformata, è diventata più serena. Con questo, non voglio dire che non sbaglieranno più, che non peccheranno più. Ma che non c'è momento più grande dell'assoluzione».

Il carcere è stato per molti anni, e lo è tuttora, al centro della vita di Carmelo, con il suo bagaglio di sofferenze. Sempre in contatto con i detenuti, e con la loro esigenza di spiritualità.

«Ricordo un giovane di 32 anni, malato di aids. Era ricoverato in ospedale e lo seguivo da diverso tempo. Prima è morta la sua ragazza, poi suo fratello, entrambi per questa terribile malattia. Tutti i giorni era pronto a morire, a unirsi al Signore. Aveva chiesto e pregato Dio di vivere ancora una volta il Natale. Una sera mi hanno chiamato dall'ospedale per avvisarmi che era in fin di vita. Sono corso da lui per somministrargli l'olio degli infermi, era convinto che non avrebbe più visto il mattino e il Natale. Abbiamo pregato insieme quasi tutta la notte, gli ho dato il crocifisso e se lo teneva stretto al cuore. La mattina dopo stava molto meglio. Per alcune settimane, ogni domenica mattina, andavo a prenderlo all'ospedale per portarlo alla St. Peter's. Partecipava alla messa e poi si fermava con noi a pranzo. Era felice, un ragazzo che non aveva paura della morte, voleva solo vivere ancora una volta il Natale. E il Signore lo accontentò. Aveva un bellissimo sorriso, gli occhi segnati dalla malattia, ma resi luminosi dalla certezza che presto avrebbe visto il volto di Cristo. Io, come prete, mi sono sentito molto piccolo di fronte alla grandezza di questo giovane che aspettava l'incontro con Dio».

Sono tante le storie di vita che potrebbe raccontare Carmelo, che ogni giorno assapora fino in fondo l'incontro con i fratelli e le sorelle che il Signore mette sulla sua strada. Senza riserve, innamorato di Dio e della sua parola.

«Troppo spesso chiediamo al Signore di esaudire la nostra volontà e non la sua. Mi dà fastidio, come prete, che il cristianesimo – che è senz'altro una buona notizia che cambia la vita, una bomba (altro che quella dei terroristi) – venga, a volte, ingabbiato in un insieme di regole e di precetti. Sono tanti quelli che si allontanano dalla Chiesa per unirsi a sette o altre religioni per trovare risposte che non hanno trovato nel cristianesimo. Ma come è possibile? La vita dell'uomo moderno è sempre più difficile, ha bisogno di aiuto. E il clero, noi preti, dove siamo? A volte non siamo capaci di comprendere le necessità delle persone che ci circondano, non capiamo la loro solitudine, i loro problemi. Spesso le nostre parrocchie sono senza vita», sottolinea con foga Carmelo e cita la lotta tra David e Golia (anzi a dire la verità la mima proprio davanti ai miei occhi). «David si presenta davanti al male solo con la potenza del legno (la croce) e lo sconfigge. Insiste Carmelo con veemenza, quasi come se lo dovesse combattere fisicamente, lì davanti a me, in quel momento: «Molto del male che ci circonda è opera del demonio. Sono convinto che il demonio esiste. È una forza che denigra, toglie la dignità, rende l'uomo schiavo, proprio come fanno l'alcol e la droga. Ci stiamo, forse, dimenticando del valore fondamentale della Croce!». E subito precisa: «Risponderei di sì, ma mi basta pensare al Papa per cambiare idea». E riprende: «Siamo troppo superficiali, non dobbiamo giudicare gli altri, dobbiamo conoscere profondamente la storia dell'uomo. Tutto parte dalla Genesi, da lì nasce tutto e prima di tutto la violenza: "Il serpente era il più astuto di tutti gli animali selvatici che Dio, il Signore, aveva creato. Disse alla donna: 'Così, Dio vi ha detto di non mangiare nessun frutto degli alberi del giardino!' La donna rispose al serpente: 'No, noi possiamo mangiare i frutti degli alberi del giardino! Soltanto dell'albero che è in mezzo al giardino Dio ha detto: Non mangiatene il frutto, anzi non toccatelo, altrimenti morirete!'"» (Gn 3,1-3). Sono queste le pagine più consumate della Bibbia di Carmelo.

E continua: «Non dobbiamo dimenticare mai che Dio ha creato l'uomo per la vita e non per la morte. Il demonio presenta sempre le cose nel modo più accattivante. L'uomo non è cattivo, ma è ingannato dal demonio che illude, l'uomo dovrà patire molto per capire che sta sbagliando. Se odiamo non possiamo avere pace e ovunque andremo porteremo rancore e sofferenza. Quando l'uomo pensa di essere onnipotente non può essere felice e realizzarsi pienamente. Questo avviene solo quando incontriamo e ci lasciamo permeare da Gesù Cristo».

Il messaggero del Signore

In tutti questi anni si è creato un filo rosso che unisce le numerose carceri inglesi con la St. Peter's. Al centro c'è sempre lui, padre Carmelo. È alla porta della parrocchia che bussano i giovani appena usciti dal carcere, in quel loro alternarsi tra la libertà e la detenzione. Cercano qualche spicciolo, una sigaretta, un panino, un vestito pulito. Ma soprattutto l'abbraccio di Carmelo, le sue parole. Arrivano qui con il passaparola, la voce si sparge in fretta: alla chiesa italiana c'è un prete speciale che sa ascoltare i giovani.

Ed è proprio grazie al passaparola che Valentina approda alla St. Peter's e trova la sua salvezza. Valentina è una ragazza veneta. A 16 anni decide di scappare da casa, non ne può più di una famiglia che sente troppo ossessiva e che non la capisce. Va a Londra con il suo ragazzo, sono entrambi punk. In coda a una mensa pubblica si sente male per la febbre molto alta; alcuni ragazzi le suggeriscono di andare alla chiesa italiana: « Lì c'è un prete che ti aiuterà ». E così accade: è il 1997.

Dopo cinque anni, Valentina decide di scrivere a Carmelo una lettera per ringraziarlo e per raccontargli la vita di oggi. In poche righe la ragazza è riuscita a esprimere con chiarezza che cosa rappresenta Carmelo per i giovani. Mi ha concesso di trascriverla, perché altri ragazzi possano ritrovarsi nelle sue parole.

« Caro Carmelo, sono passati così tanti anni! Sono trascorsi veloci, ma tu sei ancora nei nostri cuori, ogni tanto ripensiamo a quel periodo, a Londra... Adesso le cose sono cambiate ». (Ora Valentina studia psicologia e il suo ragazzo lavora). « All'epoca di Londra nessuno avrebbe scommesso su di noi. Le nostre vite sono molto più tranquille, anche se a vederci siamo ancora un po' strani, dopotutto quel tempo vissuto da punk, non sarebbe possibile cancellarlo in un attimo, e neppure lo vogliamo. Adesso le droghe, l'alcol, i brutti giri non ci riguardano più. Noi ti dobbiamo solo ringraziare: venire a Londra e trovare te è stata una benedizione! Ci accoglievi e ci nutrivi, ci parlavi... Da te c'era sempre un pasto caldo, un sorriso, del calore umano. Aspettavamo con ansia i pomeriggi da trascorrere con te e gli altri ragazzi italiani. Anche loro, come noi, avevano deciso di scappare, o comunque lasciare le loro case, per tentare di stare bene. Il problema era che neppure a Londra i nostri problemi svanivano, perché non erano legati a un luogo fisico, ma erano dentro di noi, schifati dalla società che ci voleva tutti uguali, e con genitori apprensivi, che commettevano l'errore di amarci troppo e ci davano la sensazione di essere così forti...

Scappavamo, e l'incoscienza e il coraggio erano le nostre uniche armi. Londra per noi è stata psicologicamente devastante. Abbiamo visto cose che non dimenticheremo mai: i barboni, i tossici, la povertà, ma anche la gente che sa amare con generosità. Una volta tornati a casa, tutto ha avuto un sapore diverso: la mamma, il papà, il cibo, la nostra cameretta... Perfino le lamentele dei nostri genitori erano piacevoli. E poi potersi lavare, cambiare d'abito, mentre la nostra mente tornava a quelle maleodoranti strade dove abbiamo dormito. È stata, quindi, un'esperienza che ci ha dato e lasciato tantissimo: abbiamo visto il cuore immenso di chi non ha soldi, l'amore e la solidarietà di chi, pur non avendo cose materiali, può condividere e donare sentimenti, lacrime e sorrisi.

Come posso scordare i punk e i barboni che mi hanno ceduto il posto in fila alla mensa dei poveri, solo perché mi hanno vista sfinita dalla fame e dalla febbre? Le persone disagiate sanno provare emozioni e sentimenti forti. L'indifferenza, vero male, è più delle persone socialmente integrate. La povertà toglie molto, ma non la vera essenza delle nostre anime. Ti abbiamo voluto molto bene! Eri un amico per noi. È stato disarmante trovare un adulto che ci trattava con rispetto, nonostante il nostro essere diversi; è stato stupendo sapere che tanti giovani da te trovavano rifugio e che tu li accoglievi tutti, li accettavi, ti fidavi di noi, per quello che realmente eravamo. Abbiamo sofferto nel vedere i tossici che se ne approfittavano e tu sempre più stanco e disilluso; ma loro, e tu lo sai bene, non erano cattivi, è la droga a esserlo, a distruggere, a cambiare le persone...

Spero che il Signore ti dia tanta forza e coraggio per continuare questa cosa meravigliosa che stai facendo. Anche la Chiesa e Dio hanno avuto un sapore diverso stando con te: non era pura istituzione, era qualcosa di presente e tangibile, era amore gratuito e puro, e tu non eri il solito padre distaccato e formale. Quando racconto di te ai miei amici dell'università sono tutti entusiasti! Perché tu porti gli insegnamenti di Dio dentro di te, li trasmetti facilmente, non con il distacco della maggior parte dei sacerdoti. Pregheremo per te, affinché il Signore ti dia coraggio e la tua forza non venga a mancare, nonostante i fallimenti.

Sappi solo che quello che fai ha un valore immenso, anche se ti sembra che non cambi mai nulla, di aver fallito, di non avere soddisfazioni. Tu fai veramente del bene a noi ragazzi e alle nostre famiglie. Per me e Masi sei stato fondamentale. Se non ti avessimo conosciuto la nostra vita sarebbe andata diversamente. Ma noi non ti volevamo deludere, perché tu ci volevi bene, ci accettavi, non ci rimproveravi mai. Ci hai persino portati al cinese! (*nda*: Per anni Carmelo ha portato i ragazzi a cena in un grande ristorante cinese, nel quartiere di Chinatown, fino a quando il proprietario ha trattato male un suo ragazzo e da quella volta non c'è più tornato). Nonostante fossimo sporchi, senza soldi, straccioni... tu ci consideravi e ci accettavi! A volte basta così poco per sentirsi amati!...».

È una lunga lettera, calda, affettuosa, riconoscente, che mette in risalto ciò che Carmelo è stato e continua a essere per tanti ragazzi e per le loro famiglie. Racconta oggi Valentina: «È la persona più buona che ho incontrato. Dona amore in modo incondizionato, si sente che quello che fa è possibile grazie a una forza che arriva da Dio. L'esperienza londinese ha cambiato la mia vita, ma se non avessi incontrato Carmelo mi sarei persa: ero a un passo dall'eroina. Ora la mia famiglia è al centro della mia vita, ho imparato a donare agli altri il mio tempo, ho ridato un senso ai sentimenti, alla mia famiglia, allo studio. I lunghi colloqui con Carmelo mi sono rimasti dentro come pietre preziose. Ha senza dubbio un grande carisma, ogni ragazzo sentiva che si poteva fidare di lui: non tradiva mai nessuno. Lui ci voleva bene, ma soprattutto ci aiutava a volerci bene ».

Questa ragazza ha messo a nudo l'essenza di Carmelo, ciò che vedono gli altri in lui. È come se lo avesse frequentato per molto tempo, ma non è così. Valentina è stata a Londra poco più di un mese. Un periodo brevissimo dove si sono consumate emozioni forti, ma dove è iniziata la sua rinascita. E accanto a lei c'era Carmelo.

« Meno male che ci sei tu. Se no mi sarei ammazzato già da tempo. E quanti ragazzi la pensano come me, solo Dio lo sa ». Questa è una delle tante frasi che ho trovato nella corrispondenza tra i ragazzi, rinchiusi nelle carceri inglesi, e padre Carmelo. Un patrimonio immenso di dolore, sconforto, ma anche di speranza per un futuro migliore. Tutti con la certezza che senza Carmelo la loro permanenza dentro la cella sarebbe stata molto più dura. Chi ha avuto un aiuto materiale: la spedizione di una lettera alla famiglia, le sigarette (sempre contingentate per chi vive in prigione), l'aggancio con l'avvocato o il Consolato, qualche spicciolo, e chi – e sono tanti, – si è sentito trattato e accettato come persona degna di essere amata, nonostante gli errori commessi. « Veniamo a piangere tra le tue braccia... », scrivono alcuni. Con lui, infatti, sentono di poter dialogare con sincerità e, forse per la prima volta, percepiscono di poter esprimere fino in fondo i sentimenti, le sensazioni, i progetti mai confessati. Sicuri di avere di fronte un interlocutore che non giudica, che li ama per quello che sono. « Sei come un'isola in mezzo all'oceano », o come lo definiscono altri, « il messaggero del Signore ».

Racconta ancora Valentina: « Quando l'ho incontrato alla St. Peter's Church mi ha molto impressionata, perché ha accolto me e il mio ragazzo come se ci conoscesse da sempre. Sentivamo che si fidava di noi, che ci dava fiducia. Non c'è una sola parola che lo possa descrivere, per me lui è pace, serenità, gioia, umanità, sorriso, bontà... »

Lo stesso succede per tanti altri giovani, che continuano a scrivere lettere a cui Carmelo non risponde quasi mai. Non ama scrivere e neppure leggere, preferisce che siano gli amici a informarlo.

Il suo modo di comunicare per scritto sono solamente le cartoline. Ne spedisce da tutte le parti del mondo, perché ama viaggiare molto, e sovente lo fa con entusiasmo.

In viaggio per il mondo

Dove trova la forza padre Carmelo per condividere ogni giorno la sofferenza di tanti giovani? Da quale miniera attinge le energie per rigenerarsi, lui che tanti hanno accusato di stare dalla parte dei delinquenti? Da sempre, Carmelo ha amato viaggiare, conoscere realtà diverse, incontrare persone che affrontano la vita in modo alternativo e in maniera differente da lui. Giovane squattrinato, ha girovagato per l'intera Europa con un piccolo zaino (lo usa ancora oggi, ormai sgualcito e consumato) sulle spalle. A volte senza una meta precisa, ma sempre con uno spiccato spirito di avventura, utilizzando i mezzi di trasporto più economici. Ha macinato chilometri e chilometri in autostop. Visitato i luoghi di contestazione sparsi per il mondo, partecipato ai campi di lavoro dell'Abbé Pierre, pregato nei conventi, condiviso momenti di grande spiritualità con giovani di religioni diverse.

«Mi anima ancora oggi, dopo tanti viaggi, un immenso desiderio di conoscere. Non è tanto un'occasione di riposo, amo vedere come vive la gente. Incontrare e condividere esperienze diverse mi apre la mente, mi aiuta a comprendere e a toccare la grandezza di Dio, del suo creato e della grande umanità che popola il mondo. Ad esempio in Vietnam sono rimasto colpito dalla comunità cattolica. In un villaggio in mezzo alla giungla ho sperimentato una bellissima liturgia, mi sembrava di essere in cielo!».

A Carmelo certamente non sono mancate le situazioni difficili, le avventure non sempre piacevoli. «Il Signore mi ha sempre protetto. In molte circostanze ho avuto paura, ma ne sono sempre uscito bene senza troppi guai. Anche, e soprattutto, grazie ai miei angeli custodi. Io credo che il viaggio sia un modo per vedere la grandezza di Dio. Tutta la natura ci parla di Lui. Innumerevoli volte mi sono fermato e ho pregato davanti alle meraviglie del creato».

Negli anni della sua gioventù, oltre allo studio, che come lui stesso ha confessato non gli occupava molto tempo, a Roma inizia ad amare l'arte e la musica, una passione che non lo abbandonerà più. È capace di ascoltare per tutta la notte un brano che lo ha colpito in modo particolare, come il Requiem di Mozart, per esempio. «È una musica che mi affascina, mi rapisce anche se da un lato mi terrorizza», commenta Carmelo.

In Thailandia è quasi di casa. Soprattutto nel carcere. Ha incontrato i nostri connazionali rinchiusi in prigioni al limite della sopportazione umana. Ha portato loro notizie dei familiari in Italia. È una storia che si ripete ovunque vada, perché Carmelo segue alla lettera le parole di Gesù: «Ero carcerato e mi hai visitato...». Si potrebbe scrivere un altro libro con il materiale che ha raccolto incontrando i giovani rinchiusi nelle carceri di questo Paese. Sono storie di atroce sofferenza, di abbandono, di disperazione. Spesso Carmelo è l'unica persona che si interessa a loro, che parla con i detenuti. «Ho visitato i nostri italiani nelle prigioni di tutto il mondo. Ho visto tanta povertà, miseria e ingiustizia, e ho sperimentato quanto noi siamo fortunati, possediamo tutto quello che ci serve per vivere e anche di più, eppure ci lamentiamo e non siamo mai soddisfatti», commenta.

In ogni Paese ha vissuto esperienze e storie particolari: dal Brasile all'Argentina, dove vivono alcuni suoi parenti. Dal Giappone all'Australia, allo Sri Lanka, Malaysia, Bolivia, Singapore, Nuova Zelanda, Perù, Corea del sud, Macao, Hong Kong, Nepal, India, Uruguay, Algeria, Russia, Cina, Messico, Costa Rica, Venezuela, Barbados, Panama, Portorico, Brunei, Tasmania, Borneo, Laos. Ha visitato anche la Cambogia, con il suo terribile carcere a Phnom Phen, come pure il Vietnam, Israele, Egitto, Tunisia, Canada, Birmania, Guatemala, quasi tutti i Paesi dell'Europa (Spagna, Francia, Polonia, Grecia, Svizzera, Olanda...) compresi quelli dell'Est; a citarli tutti parrebbe di riscrivere un atlante geografico. E infine è stato negli States. Il primo viaggio negli Usa risale a quando era un giovane prete, partito con soltanto l'immancabile zainetto, senza soldi, certo di vivere di sola carità. Proprio come i primi apostoli. E non sempre gli è andata bene. Spesso ha patito la fame e la sete. Ha dovuto dormire all'addiaccio. Si commuove ancora ricordando quei giorni. E poi vi è ritornato dopo il tremendo attentato alle Tòrri Gemelle.

« Ho pianto davanti a Ground Zero. Avevo visitato New York tanti anni fa, all'inizio della mia conversione; mi ha colpito come si è evoluta questa grande metropoli. Ho pregato per tutte le vittime del terrorismo, ho sentito questa città molto vicina al mio cuore. Ho respirato l'odore del dolore di tanti uomini e donne. Ho visto ancora con i miei occhi la disperazione di una moltitudine di persone che non riesce ad accettare la morte dei propri cari: mariti, mogli, padri, madri, fratelli, figli, amici. È stato come scoprire un'altra città. Spero di tornarci ancora, e fermarmi un po' più a lungo ».

Carmelo ha un'altra passione: la storia dei popoli estinti. « Sono andato alla ricerca dei segni delle civiltà scomparse, dai Maja agli antichi Egizi. Ogni tanto penso che anche la nostra, un giorno, potrà scomparire ». Ma ciò che veramente lo rapisce è la natura: « Amo guardare il cielo stellato, come scendere ad ammirare gli abissi ».

In Argentina, invece, non ci è andato solo per un viaggio di scoperta e di vacanza. Nel 1974 decide di andare a Buenos Aires per incontrare i suoi fratelli Mario e Luigi e le loro famiglie. Sono oltre venticinque anni che non si vedono. «È stato molto emozionante ritrovarci dopo così tanto tempo, conoscere i miei nipoti. Riunire la famiglia. Riconosco che la responsabilità di aver trascurato i miei fratelli è stata soprattutto mia. Quando ero ragazzo ho scelto di vivere altre esperienze, di visitare altri luoghi. Ma quello che conta, ora, è che ci siamo ritrovati. Proprio per questo sono tornato altre volte in Argentina per incontrarli». Se da una parte Carmelo sa di aver trascurato la famiglia, prima di tutto i suoi genitori e poi i fratelli, dall'altra ricorda: «Ora mi sento meglio, ho ritrovato il rapporto con tutti i miei fratelli e con i loro figli e nipoti».

Ho un ricordo per ciascuno degli innumerevoli posti che Carmelo ha visitato. In un cassetto conservo tutte le sue cartoline; se le incollassi su una mappa potrei ripercorrere i suoi passi, i suoi incontri, in ogni luogo che ha visitato ha lasciato un segno. Carmelo non va mai in vacanza. È sempre attento a chi soffre, a chi ha subìto un torto, come a chi lo ha fatto. «La cartolina è un mezzo per essere vicino a tutti coloro che amo», sottolinea Carmelo.

Sono certa che le cartoline che spedisce sono quasi tutte uguali: la sua firma e basta; quando è in vena di scrivere aggiunge un ciao, sto bene. Ma è il pensiero che conta, una piccola immagine che permette di sentirsi vicino a questo «piccolo grande uomo», di essere partecipi dei suoi viaggi, delle sue esperienze.

Così deve essere stato per Moreno, un giovane biellese morto nel 1988 per aids, che teneva sul comodino vicino al suo letto di ospedale una sua cartolina della Thailandia. Lo ricorda in una lettera il padre. Moreno era un ragazzo esuberante, brillante, pieno di voglia di vivere, che ha avuto il coraggio di sposarsi in prigione con una ragazza che amava moltissimo. Uscito dal carcere aveva una grande voglia di una vita nuova, si è trasferito in Spagna, ha smesso completamente di drogarsi. Ma poi ha scoperto di essere sieropositivo. Non ha voluto coinvolgere la moglie nella sua sofferenza ed è scappato. È tornato a Londra, ma per lui la vita era finita. La moglie lo ha raggiunto, e insieme con Carmelo è riuscita a convincerlo a tornare a casa sua, in Piemonte. Dopo pochi mesi è morto. Il padre Mario ha scritto una lettera a Carmelo per raccontargli le ultime giornate di Moreno. «Carissimo Carmelo, ci scusiamo con te per non averti avvisato che Moreno stava male. Diciamo che è stata una cosa abbastanza rapida, in quanto ha cominciato a manifestare i sintomi di questa tremenda malattia appena tornato da Londra... Era riuscito a debellare la candidosi polmonare, ma poi è ricominciata la febbre alta. Monica (sua moglie) è stata fantastica e gli ha dimostrato tanto amore, standogli vicino fino alla morte. Noi ti ringraziamo per tutto quello che hai fatto per Moreno. Lui ti voleva molto bene, teneva sul comodino dell'ospedale la tua ultima cartolina, e ti preghiamo, quando vieni in Italia, di passare da noi... Ciao, Carmelo, per noi sei la cosa più bella che abbiamo trovato a Londra».

Questa lettera è contenuta nel libro *Dal carcere di Londra...*, a cura di Francesco Strazzari (Ed. EDB 1995), che racchiude le storie e le lettere – selezionate da padre Carmelo – di alcuni ragazzi che ha incontrato in oltre vent'anni di visita alle carceri. Non è un caso che la selezione sia opera di Carmelo e la stesura sia di un'altra persona. Chi lo conosce bene, infatti, sa che Carmelo non ama leggere e scrivere, preferisce «imparare» da chi gli sta accanto. Domande su domande, non smette mai di essere curioso verso la vita altrui, la società e di tutto ciò che lo circonda. E per questo chiede a tutti spiegazioni e ascolta attento, sempre rispettoso di chi ha davanti, nella certezza che in ogni persona ci sia Dio. Ha una propensione innata verso il bello. Contempla la natura, quando la descrive è come essere lì con lui. Si inchina davanti alla grandiosità della montagna, si tuffa nell'immensità degli oceani e dei caldi mari del sud. Passeggia per i verdi pascoli, sentendosi un tutt'uno con la natura, creata dal Signore per gli uomini.

Assapora i suoi viaggi vissuti «come rinascita». Non smette mai di essere se stesso, ma è attraverso la conoscenza di posti nuovi, l'incontro con altre esperienze di vita e di cultura che «rinasce» e «si ricarica». Ne trae una forza immensa, e ne ha un estremo bisogno, «risucchiato» com'è ogni giorno da tutte le anime che incontra.

Dice dei suoi viaggi: «Viaggiare mi aiuta ad aprire la mente. In tutti i luoghi che ho visitato ho voluto incontrare la Chiesa locale. Ma soprattutto la gente. Cerco di immergermi nel contesto in cui sono, di vivere, mangiare, dormire come il popolo che sto incontrando. E poi il carcere. Non mi stancherò mai di andare a trovare i nostri connazionali, e non solo. Sono lasciati troppo soli. Hanno bisogno della nostra solidarietà, anche se molti di loro sono persone che hanno sbagliato, non possiamo abbandonarle al loro destino. Al rientro da ogni viaggio sento di essere diventato più ricco e di comprendere meglio ciò che mi circonda. Ogni cosa può essere vista e vissuta da angolature diverse ».

La natura

Qual è l'origine del suo grande amore per la natura? Forse, perché vive in una grande città tra autobus a due piani, metropolitana, chiesa, carceri, ospedali, soffocato dal cemento. Ma non è così. Sono ancora le sue parole a guidarci e a farci scoprire i suoi pensieri.

« La natura, con le quattro stagioni, rappresenta la vita dell'uomo. La primavera è la nascita, inizia la vita. L'estate è l'epoca in cui esplodono i colori, maturano i frutti ed è paragonabile alla maturità dell'uomo. Arriva l'autunno, cadono le foglie e per le persone inizia la vecchiaia, si affacciano i malanni. E poi ecco l'inverno, la natura viene sommersa dalla neve, tutto si ferma, la vita non c'è più, è l'ora della morte. Una morte apparente perché in realtà, proprio come avviene per i campi, gli alberi, l'universo è la quiete prima della rinascita. Così come per l'uomo la morte è il passaggio verso l'eternità ».

E con una leggera nota di malinconia: « La nostra vita è una continua lotta con il demonio. Da soli non ce la possiamo fare, solo con l'aiuto di Dio riusciamo a sconfiggere il male. Dobbiamo vincere le tentazioni, senza dimenticare che se l'uomo si avventura nel deserto, senza Cristo, ha già perso la propria vita ». E da qui Carmelo ci ricorda i mali dell'uomo moderno: la solitudine che ci può colpire anche quando siamo attorniati da molte persone e da amici. Ma, soprattutto, la depressione: il male del secolo. Ne parla con forte coinvolgimento e partecipazione, anche perché nella sua vita ha sperimentato cosa vuol dire sentirsi tristi, depressi: « È un malessere che colpisce anche i religiosi, ma non dobbiamo scordarci che la crisi è un dono di Dio». Un malessere che lo ha aiutato a capire meglio le persone che incontra, che lo ha indotto a essere più disponibile alla comprensione e alla compassione, intesa come assumere in prima persona il dolore dell'altro, più che a giudicare e a condannare.

L'eucaristia:
una grazia che ci converte

La Chiesa che cosa fa per l'uomo moderno? Potrebbe fare di più, secondo Carmelo. «Questa Chiesa, che dovrebbe convertire il mondo intero con l'annuncio di Cristo risorto, a volte è ingessata nei suoi palazzi, imbrigliata nella burocrazia». Se ne è convinto incontrando migliaia di fedeli, parlando a tanti cuori sofferenti. Lui che nel suo cuore ha scoperto quanto possa essere grande l'amore di Dio e proprio per questo lo vuole far incontrare a tutti: «L'uomo di oggi a volte è superficiale, cinico e freddo, stiamo perdendo le nostre radici, l'amore per la vita e la tradizione. Una delle grandi fonti di crisi di oggi, è che le persone non vivono più fasi graduali. Ai bambini è stata scippata l'infanzia; da piccoli vivono le loro esperienze come se fossero già adulti. Si bruciano tutte le tappe. La responsabilità, spesso, è anche dei genitori che non facilitano la crescita progressiva dei loro figli. Che tristezza! I giovani stanno perdendo la stagione della fanciullezza. La gente ha bisogno di autenticità. Troppe persone, oggi, hanno paura di esprimere i propri sentimenti».

« Occorre andare dove vive l'uomo. Cristo era in continuo cammino. Era sempre in movimento tra la gente. Questo, per noi preti, significa entrare nei bar, girare per i mercati e non stare chiusi nelle nostre parrocchie o, peggio, negli uffici. Cristo camminava per le strade tra i poveri e le prostitute. E allora mi domando: chi è oggi l'uomo ferito? È quello che vive sulla strada. Ci sono ancora troppi cristiani della domenica nelle nostre parrocchie, per questo i giovani non le frequentano. Non vi trovano più lo spirito di Gesù Cristo».

Carmelo ha davanti agli occhi le innumerevoli volte in cui dentro la sua chiesa, a Londra, alcuni parrocchiani si sono indignati e non hanno voluto stare a fianco di un tossicodipendente o di un malato di aids: « Questo è quello che vivo sulla mia pelle. Che cosa significa questa freddezza, ipocrisia, diffidenza? Che cosa è rimasto della Chiesa umile e povera diffusa dai martiri in mezzo alla gente? Una Chiesa che vive perseguitata ancora ai giorni nostri, in questo stesso momento, in tanti Paesi del mondo, dove confessare di essere cristiani significa rischiare la vita. Sentiamo tutti, nella nostra quotidianità, la necessità di una Chiesa più autentica».

E afferma: «A volte anche noi preti facciamo fatica a sentire la voce di chi ci chiede aiuto perché siamo sommersi dalla burocrazia. Dovremmo imparare a snellire, non dobbiamo avere paura della verità. La verità ci rende liberi. Le mie omelie sono brevi. Cerco uno spunto dalla Scrittura del giorno e lo traduco nella vita di chi mi sta ascoltando. Davanti alla nostra impotenza, alle nostre debolezze, ecco che arriva Dio con la sua grande bontà e ci trasforma. L'eucaristia è una vera grazia che ci converte. È il passaggio dalla tristezza alla gioia. A volte, davanti all'ostia, tremo pensando che è il corpo di Cristo. Lo stesso che è stato messo in croce ed è figlio di Dio. Ci siamo abituati al sacro e non ci rendiamo più conto della grandezza dell'eucaristia».

«Come è possibile avere nel cuore un sentimento di odio e di astio verso un'altra persona e allo stesso tempo incontrare nella comunione il corpo di Cristo?», si domanda Carmelo. E sottolinea: «Se l'odio è profondo, avvicinarsi al sacramento dell'eucaristia è un sacrilegio. Quando nelle mie prediche lo ricordo, le persone hanno come un sussulto. È come se si sentissero dire per la prima volta queste parole. È un trauma, ma li aiuta a risvegliare la coscienza. La parola di Dio non può lasciarci indifferenti. Quando non ci trapassa è perché non è stata spiegata con le parole giuste. Troppo spesso si torna a casa, dopo la messa, senza essere cambiati dentro, senza sentirsi uomini e donne nuovi, illuminati, carichi di amore per il nostro prossimo. La liturgia non è un rito, ci deve trasformare ogni volta e avvicinare sempre di più a Cristo».

Dalla parte dei ragazzi

«Sono tanti, tantissimi i giovani che bussano alla mia porta in cerca di aiuto. Da solo non ce la faccio più». È il grido d'allarme che Carmelo lanciò in una intervista alla fine degli anni Ottanta. Una richiesta di aiuto che, purtroppo, non ha mai smesso di pronunciare. Purtroppo perché, a parte qualche amico, Carmelo viene lasciato ancora «troppo solo».

«In passato ho provato a contattare diverse comunità per ospitare i ragazzi, soprattutto gli italiani, ma ho incontrato sempre molte, troppe difficoltà e delusioni. Per ora l'emergenza è quella di toglierli dalla strada, offrire loro un pasto caldo e decente e un tetto per la notte. Ma è mai possibile, mi domando, che dall'Italia non ci sia la volontà di aiutare questi giovani? Anche dalle Regioni, in particolare da quelle del Nord, come il Veneto e la Lombardia, da cui proviene la maggior parte di loro, non arrivano aiuti concreti, programmati, sistematici. Ci sono persone che vivono qui da oltre vent'anni, sono veri e propri emigranti di cui il nostro Paese si è dimenticato. Anche se da parte della Chiesa italiana, in particolare dalla Migrantes, ho ricevuto aiuti concreti e duraturi. Ci vogliono progetti mirati che coinvolgano la comunità italiana in Inghilterra. Iniziative che ci permettano di sentirci ancora parte della nostra terra. Ma, forse, sono io che pretendo troppo. La questione è che a volte ci sentiamo abbandonati», afferma sconfortato.

«Quello che manca qui in Inghilterra, per questi ragazzi è una struttura a cui poter fare riferimento. Troppe persone giovani e adulte vivono ancora sulla strada, arrivano a Londra in cerca di un futuro migliore, alcuni perché hanno fallito in Italia. Ho parlato con alcuni funzionari della Farnesina, mi hanno risposto con gentilezza, belle parole, ma poi si è arenato tutto. Certo ho ottenuto una grande considerazione per il mio lavoro. Ma questo non mi interessa per niente. Il problema è che quando chiedo gesti tangibili, una parte dei miei interlocutori si dilegua».

Dall'inizio del Duemila l'Enaip (Ente Nazionale Acli Istruzione Professionale), che ha sede nei locali attigui alla parrocchia, collabora con Carmelo per aiutare i ragazzi, sia nelle emergenze sia nella ricerca di soluzioni più durature. Il merito è del presidente Renzo Losi e dei suoi collaboratori e collaboratrici.

Ricorda Carmelo: «Un giorno, alcuni rappresentanti dell'Enaip sono entrati nel mio ufficio e hanno conosciuto alcuni giovani e le loro storie. Mi hanno confessato che non avrebbero mai immaginato di poter trovare una realtà così complessa. Da quel momento è nata una stretta collaborazione con la St. Peter's. Per fortuna, non c'è più la decimazione di povere anime, come avveniva nell'85, quando morivano di overdose anche quattro-cinque ragazzi alla settimana. Accadeva nei bagni pubblici di Kings Cross, Piccadilly. Di alcuni di loro non si è mai saputo neppure il nome».

Riascoltando le numerose interviste rilasciate in questi anni ai giornalisti italiani e inglesi, la storia che racconta è sempre la stessa. «È difficile seguire i ragazzi drogati, non si vedono i risultati. Non sono il loro maestro, ma li accompagno. Rimango accanto a loro e cerco di appassionarli alla vita. Sto male quando vedo speculare su questi giovani, sulla loro sofferenza».

Quello che cambia, drammaticamente, è il numero di ragazzi che Carmelo ha incontrato, e molti di questi li ha seguiti fino alla morte. Ha tentato tante strade, soprattutto a metà degli anni Ottanta. Allora ogni giorno, nei posti più diversi, dai sotterranei della metropolitana ai bagni pubblici, dai cantieri di palazzi in costruzione a sotto i ponti del Tamigi – in una Londra, che a differenza di oggi era sempre grigia e nebbiosa, anche d'estate – veniva scoperto un cadavere, un'altra vita scippata da una overdose.

«Quante volte, io ero l'unica persona a portare l'estremo saluto. Molti di loro non avevano documenti e rimanevano settimane in obitorio, prima che qualcuno ne reclamasse le spoglie. E per alcuni di loro non è mai accaduto », ricorda Carmelo.

Quanta amarezza e sconforto in questo prete che tanti anni fa non aveva avuto nessun dubbio nell'aprire le porte della sua chiesa, ogni volta che qualcuno bussava alla sua porta. Ragazzi e ragazze che in pochi anni gli hanno rubato di tutto, dai soldi alle cartucce per le stilografiche, dall'orologio a parete a semplici fogli bianchi per scrivere.

È ancora Carmelo a parlare: « È impressionante scoprire ciò che un uomo riesce a vendere per procurarsi la droga. Ricordo quando un ragazzo entrò in un appartamento e portò via vari oggetti tra cui alcune lettere di nessun valore. Ebbene, non so come ci riuscì, ma le vendette. Londra è una città in cui tutto può avere un prezzo ».

Ora l'ufficio di Carmelo è al primo piano. C'è una segreteria in una grande stanza. Ai ragazzi non è più permesso di circolare liberamente su e giù per i tre piani della casa e tanto meno di intrufolarsi nella stanza di Carmelo, senza essere stati invitati. L'ultimo piano è riservato agli ospiti. Vi si accede tramite una ripida scala, nella prima parte a chiocciola. I più pigri possono utilizzare un rudimentale ascensore, che pare più un montacarichi. E non ha un aspetto molto rassicurante.

Tanti italiani sono stati ospitati in queste stanze e hanno potuto godere della generosa accoglienza della casa. Toccare con mano la vita frenetica di Carmelo e, fino al 2001, anche di padre Roberto.

Con gli anni, Carmelo ha perso un po' di capelli, non può più farsi la cresta come i punk (alcune fotografie testimoniano che si è lasciato contagiare, solo per qualche minuto). È anche un po' ingrassato, a dispetto delle numerose diete che gli sono state prescritte, ma non ha mai smesso di lottare per poter offrire un'opportunità ai ragazzi.

« Non voglio parlare di statistiche, non mi interessano i numeri (anche se in questi trent'anni i numeri sono cresciuti in modo esponenziale). Il mio impegno sarebbe uguale, anche se ne avesse bisogno un giovane soltanto ». E di tentativi ne ha fatti veramente tanti. Sia in Inghilterra, sia in Italia. Può capitare che in momenti di maggior sconforto si lasci abbattere, pensando che non ci siano più speranze. Ma questo sconforto dura poco, la sua fede e il suo entusiasmo vincono sulle difficoltà e ricomincia con più determinazione di prima. Alcuni amici non lo hanno mai abbandonato, hanno sofferto con lui e gioito insieme a lui ogni volta che un ragazzo o una ragazza ce l'ha fatta, quando un obiettivo è stato raggiunto.

Più di una volta Carmelo si è presentato davanti alle telecamere insolitamente vestito da prete, a raccontare la propria storia, ma soprattutto a chiedere aiuto per i suoi ragazzi. Anno dopo anno, continua a lanciare il grido di allarme: «I nostri giovani (nda: molti di loro ormai hanno oltre quarant'anni) muoiono per overdose, per aids. Entrano ed escono dalle carceri inglesi abbandonati da tutti, rubano, si perdono nella metropoli alla ricerca della libertà, che poi si trasforma in un nuovo buco, in un'altra sniffata, in una nuova pasticca».

Fa impressione rivedere le vecchie registrazioni del Maurizio Costanzo Show. Nelle prime trasmissioni Carmelo era più giovane, un po' meno grigio, più magro, forse più agguerrito. Sono passati gli anni, ma la denuncia è sempre la stessa, solo i numeri aumentano drammaticamente, sempre più giovani drogati, carcerati, malati di aids, stroncati da overdose, e ora anche malati psichici, alcolizzati.

Ma lui non cambia mai, nonostante le crisi, la fatica, la solitudine che ogni tanto lo assale. Insiste senza tregua nel rendere pubblica una solitudine che si è protratta negli anni. La richiesta di aiuto, la sollecitazione ad assumersi la responsabilità di una situazione che coinvolge così tanti italiani in Inghilterra è sempre forte. Non usa mezze parole per raccontare la realtà e la frustrazione di chi ogni giorno si scontra con tanta sofferenza e non ha gli strumenti per farvi fronte, ma solo un cuore enorme e l'amore per ogni essere umano. E di questo, Maurizio Costanzo si è reso conto subito, già al primo incontro. Lo si vede stupito davanti a questo prete deciso a gridare il disinteresse della società verso questi ragazzi. Un sacerdote che non ha paura di parlare del proprio passato, ma anche di proclamare con naturalezza la verità del Vangelo e il suo incontro con la fede. Costanzo è rimasto affascinato da Carmelo e per tanti anni gli ha dato spazio nel suo talk show, perché potesse esporre le iniziative della St. Peter's. In tante occasioni ha invitato Carmelo a raccontare la sua storia, a presentare i suoi libri, a parlare dei suoi ragazzi.

Il St. Peter's Project

Ora tutti gli sforzi sono concentrati sul St. Peter's Project.

«Creare una casa per accogliere chi vuole uscire dal tunnel della droga ha dei costi elevatissimi, per ciò ho dovuto abbandonare questo sogno. Ho cercato la collaborazione di molti gruppi di italiani che lavorano in questo settore con i metodi più diversi. Ma nessuno di loro era esportabile. Ho pregato e sperato, ad esempio, che suor Elvira aprisse una comunità sul suolo inglese, ma per ora non ci sono possibilità. Ho bussato a tante altre porte, il risultato è sempre lo stesso, tante promesse e nessun gesto tangibile. Tanti politici italiani, dopo aver visitato la nostra parrocchia, hanno assicurato che sarebbero arrivati finanziamenti, aiuti concreti. Di fatto questo non è mai accaduto. A onor del vero, qualcuno ha fatto più di altri, intervenendo su casi specifici, ad esempio, supportando il rientro in patria di alcuni ragazzi. Gocce in mezzo all'oceano, ma certo meglio di niente».

Quando tocca questo argomento Carmelo, con il suo tono colorito, è spesso tagliente e non risparmia nessuno. Non potrebbe che essere così: lui dona tutta la sua vita senza riserve a questi ragazzi. Ogni ora della giornata è per loro, anche quando apparentemente si occupa di cose diverse. Il suo pensiero è sempre lì. L'anima di questo progetto, oltre a lui, è Maria. Una donna con grandi capacità manageriali. Maria ha capito che il punto di forza di Carmelo è la vasta rete di amicizie che si è creato in questi anni. Gli amici di Carmelo sono amici tra di loro. È inevitabile, capita a tutti. Con naturalezza lui li mette in contatto e da quel momento scatta una scintilla, la consapevolezza di stare dalla stessa parte, la certezza di condividere un progetto: quello di Carmelo.

Ora, grazie al St. Peter's Project, tutte queste persone e le tante che si vorranno aggiungere, sono legate da un comune obiettivo: aiutare Carmelo nella sua opera. Come? Ognuno per quello che sa e può fare. Dal raccogliere fondi che permetteranno a chi ha deciso di curarsi di poterlo fare nelle strutture più idonee, a chi sostiene le famiglie in Italia; a chi invia libri, riviste per i carcerati e li va a incontrare nelle prigioni inglesi. E ancora a chi sensibilizza il maggior numero di persone su questa realtà, a chi si inventa iniziative per recuperare finanziamenti per la parrocchia, in modo che possa continuare ad attuare il Vangelo che predica: «Avevo fame e mi avete dato da mangiare, avevo sete e mi avete dato da bere, ero carcerato e mi avete visitato...».

Carmelo spera di poter creare nella sua parrocchia un luogo di pace, amore e serenità. Un punto di riferimento, dove chi vuole cambiare la propria vita possa trovare agevolmente le informazioni giuste, senza caricare la struttura di regole: «Tutto deve nascere dalla vita. Dobbiamo offrire ad ogni persona l'opportunità di cambiare. Ora ci sono meno morti per overdose, ma si è diffuso moltissimo l'alcolismo. Numerosi italiani sono qui da oltre vent'anni, un lungo periodo che hanno condiviso quasi interamente o del tutto con la droga. E aumentano anche i casi di schizofrenia che creano situazioni veramente molto difficili da gestire nella vita di tutti i giorni».

Il 27 marzo del 2001, finalmente, la Charity Commission for England and Wales ha riconosciuto ufficialmente lo status di Charity (l'equivalente di una Onlus italiana) al St. Peter's Project. Da allora il St. Peter's Project (SPP) ha una struttura ufficiale, riconosciuta dallo Stato inglese, a cui aderiscono numerose persone accomunate dal desiderio di andare incontro ai disagi di coloro, soprattutto italiani, che sono in difficoltà per povertà, emarginazione sociale, malattia fisica o mentale, in particolare persone dipendenti dalla droga e dall'alcol, carcerati, ex-detenuti, uomini e donne senza lavoro, senza casa o senza famiglia.

L'origine del progetto risale all'arrivo di padre Carmelo a Londra. La storia dell'opera coincide con quella della sua vita in Inghilterra. Padre Carmelo ha lottato per molti anni da solo, malvisto da molti connazionali, senza denaro e senza aiuti, confrontandosi tutti i giorni con le difficoltà. Eppure in questa situazione complicata, irta di ostacoli e di sofferenza, il miracolo è avvenuto. Letteralmente migliaia di giovani – superano di gran lunga i diecimila – sono stati avvolti dal suo affetto. A poco a poco, intorno a lui e con lui, si sono mossi alcuni amici che hanno iniziato ad aiutarlo. È questa, in sintesi, la genesi del St. Peter's Project che si sviluppa in quattro grandi ambiti: l'assistenza nelle carceri, l'accompagnamento degli ammalati, l'accoglienza presso il St. Peter's Centre, la riabilitazione attraverso progetti terapeutici ed educazionali. Si è intensificata la collaborazione con il Consolato Generale d'Italia a Londra e con l'Ambasciata. Anche alcune associazioni di italiani, nel Paese anglosassone, hanno iniziato a supportare l'attività del SPP.

Una cosa è comune a tutti coloro che hanno deciso di partecipare al progetto. Più o meno consciamente, ciascuno ha nel cuore le parole di Matteo (25,35-44): «Ho avuto fame e mi avete dato da mangiare... Ma quando mai ti abbiamo veduto affamato, assetato o forestiero o nudo o infermo o in carcere?». I tanti volontari del St. Peter's Project l'hanno incontrato sulle strade di Londra, all'ombra del Big Ben.

Come Fiorella, che giorno dopo giorno, instancabile e con una faccia tosta che lo stesso padre Carmelo definisce «al limite della vergogna», chiede aiuti economici a tutti quelli che incontra, per acquistare generi alimentari o di prima necessità da inviare a Londra per «i ragazzi di padre Carmelo». Fiorella vive a Verbania, una splendida cittadina che si affaccia sul lato piemontese del Lago Maggiore. Da queste sponde partono per la capitale inglese i camion stracolmi di vettovaglie. Fiorella ha contagiato tante persone con la sua energia e la sua determinazione. Con lei c'è sempre Anna, amica preziosa e promotrice di tante iniziative per raccogliere fondi. Un impegno iniziato dopo la morte del figlio per overdose proprio a Londra.

Ma il SPP ha potuto nascere e svilupparsi anche grazie al grande contributo di padre Roberto e di molti fedeli della parrocchia. Ecco che cosa scriveva ai suoi parrocchiani nel 1989: «... Noi accogliamo e riceviamo in questa casa le persone spiritualmente e moralmente in difficoltà, a causa di una educazione sbagliata o della droga o perché non hanno trovato Dio. Noi passiamo il tempo con loro, presentando una vita di Dio molto concreta, vissuta nella preghiera e nell'esempio di tante persone che mandano avanti casa e famiglia, con l'aiuto di Dio. Noi, sacerdoti di questa chiesa, abbiamo il tempo e la possibilità materiale di

pensare a tutte queste cose e di muo-
verci con tanta facilità materiale e spirituale perché ci siete voi che ci aiutate. Prima di tutto, ci aiutate con la vita
religiosa e l'affettuosa presenza di
preghiera nella nostra chiesa. Poi ci
aiutate con le vostre offerte. Quando
andiamo a portare il Vangelo, siamo
accompagnati dalle vostre preghiere e
dal vostro esempio. Attraverso voi
Dio ci dà la capacità di parlare della
Buona Novella del Vangelo. E questo
Vangelo diventa vita di Dio nelle persone a cui lo portiamo. E cambia la vita delle persone».

Un grazie particolare, per aver accettato di partecipare a questa avventura del St. Peter's Project, Carmelo ha
deciso di inviarlo – una volta tanto per
scritto – con una newsletter, che recita
così:

«Carissimi, vi ho sempre nel mio
cuore e vi ringrazio della vostra amicizia, affetto e aiuto morale e materiale.
Sono passati più di trent'anni da
quando il Signore ha aperto, anzi spalancato, davanti a me la via per cam-
minare con i poveri e i meno fortunati
nella vita. Per me è un grande privile-
gio raccogliere ciò che gli altri scartano e rifiutano. È più quello che ho im-

parato io da loro, che quello che io posso aver dato loro. È bello e consolante sapere che anche voi siete in questa avventura meravigliosa, anche se difficile e impopolare, ma preziosa agli occhi di Dio...»

Superfluo aggiungere che nuovi volontari sono attesi a braccia aperte.

Eravamo terroristi

Mario Ferrandi, Renato Curcio, Cristiano Fioravanti, Adriana Faranda, Alberto Franceschini, Marco Donat-Cattin, Michele Viscardi, Marco Barbone, Paolo e Isabella Bianchi, Angelo Izzo, Bruno Laronga, Fulvia Miglietta, Ettorina Zaccheo. Sono solo alcuni dei tanti terroristi rossi e neri che Carmelo ha incontrato, conosciuto, qualcuno anche seguito nella sua conversione. Con la maggior parte di loro è rimasto in contatto, anche solo epistolare. Con altri non c'è stato nulla da fare, sulla via del pentimento o del riavvicinamento a Gesù Cristo.

Si deve risalire agli anni Ottanta. Da tempo Carmelo frequenta le carceri del Regno Unito, quando tra i detenuti a Brixton (Londra) incontra Mario Ferrandi. «Conobbi Mario nel 1981. Era membro di "Prima Linea" ed era stato arrestato a Londra dall'Interpol. Ho trascorso con lui circa un anno, cercando di portargli il messaggio di Cristo Salvatore. Ma non ne voleva sentir parlare. Poi, a poco a poco, la Parola di Dio gli ha toccato il cuore. Dopo la sua estradizione in Italia, sono andato a trovarlo in carcere. Lì ho conosciuto altri del suo gruppo e ho fatto visita ad altri detenuti cosiddetti "politici". Finiti dentro per questioni di terrorismo. Da questi colloqui, spesso molto profondi, sono scaturite centinaia di lettere che questi "terroristi ed ex-terroristi" mi hanno scritto. Le ho messe da parte, ma nel rileggerle mi sono reso conto che da esse emergeva un messaggio molto prezioso. Un messaggio che testimonia il potere e la forza della parola di Dio. Ho capito così che non potevo lasciare queste testimonianze chiuse in un cassetto. Potevano diventare un validissimo strumento per aiutare molti a ritrovare Dio».

Questa è la genesi del volume *Eravamo terroristi. Lettere dal carcere*, a cura di padre Carmelo, Paoline, Milano 1989. Un libro né storico, né politico, ma che testimonia un aspetto importante della vita del sacerdote. È la storia di tante anime assalite dalla più profonda angoscia e dai più dolorosi drammi interiori. Lascio a lui la parola per spiegare il senso profetico del suo «portare il Vangelo» a questi uomini e donne protagonisti di un «passato» che ha segnato profondamente la nostra società.

«Il dolore è il vero protagonista di questo libro: il dolore di tutti coloro che nella folle stagione del terrorismo hanno perso i propri cari; di tutte le famiglie delle vittime di quelli che vengono ricordati come gli anni di piombo; il dolore per tutte le vite spezzate nel nome di un'idea di giustizia trasformatasi, nel sangue, in una colossale ingiustizia, che ha calpestato il valore sacro della vita umana. Di fronte a questo dolore resta valido solo il messaggio di Cristo, che ha amato i propri nemici. Attraverso questo Amore è stato possibile iniziare una nuova riconciliazione, spezzando il cerchio della schiavitù che legava molti dei protagonisti di quei terribili anni. Entrando nel cuore, nell'intimo dell'uomo, si sono aperti nuovi orizzonti, ed è stato possibile cominciare a scrivere un capitolo nuovo».

«È profonda la commozione di chi assiste all'inizio di una conversione», confessa Carmelo. E nessuno meglio di lui, che l'ha vissuta qualche anno prima, può saperlo: «Per molti dei protagonisti del libro, si tratta di un inizio che va però rivisto con occhi diversi da quelli della giustizia umana. La giustizia umana, che chiede l'espiazione per chi ha sbagliato, va rispettata e deve seguire il proprio corso. Ma è la giustizia divina che a noi interessa, la giustizia divina che supera quella umana, facendo addirittura apparire ingiusto chi mostra misericordia nei confronti del peccatore. Perché l'immagine di chi ha sbagliato resta ancorata al passato, mentre noi sperimentiamo giorno per giorno il cambiamento dell'uomo, dalla morte alla vita, dalla disperazione alla speranza. Non dimentichiamo che il primo "santo", colui che per primo è stato chiamato da Cristo in Paradiso, è stato un ladro, condannato a morire in croce e che trovandosi accanto al Salvatore, dalla croce gli ha espresso il proprio pentimento. "In verità ti prometto", gli ha detto Gesù, "oggi sarai con me in Paradiso".

Solo Cristo può dare il perdono e solo lui può ispirarlo negli uomini. Il perdono è un "dono" che nessuno può imporre agli altri. È un dono di Dio. È un sentimento delicatissimo che alcuni hanno sperimentato e che ha toccato profondamente il cuore dei protagonisti. Ma è un sentimento dinanzi al quale possiamo solo inchinarci, per rendere lode al Signore».

I risultati per coloro che seguono i carcerati, siano essi «politici», drogati, o detenuti comuni, sono spesso scoraggianti e avvilenti: è necessaria una fede immensa per scoprire nel carcerato l'icona di Cristo sofferente. Dice Carmelo: «Noi ci consideriamo missionari della speranza e della misericordia nei luoghi della disperazione, del fallimento, del dolore, dell'angoscia, dei rimorsi, della spregiudicatezza. Ci troviamo in un territorio di frontiera, al limite dell'odio e della violenza. Ma ci rendiamo conto delle difficoltà che incontra chi comincia a muovere i primi passi sulla via della riconciliazione, difficoltà enormi per chi segue il cammino della droga, ma ancora più grandi per chi è stato inebriato dalla droga del terrorismo.

Con alcuni amici, Maria Laura Franciosi, giornalista dell'Ansa, e padre Ezechiele Pasotti, abbiamo cercato di raccogliere dei "raggi" di speranza, piccoli spazi di luce in un mare di odio».

Si tratta di una raccolta di lettere: *Eravamo terroristi. Lettere dal carcere,* come abbiamo già citato, che parla della storia di sedici uomini e donne (Marco Barbone, Paolo Bianchi, Massimiliano Bravi, Viero di Matteo, Piero Falivene, Sante Fatone, Mario Ferrandi, Angelo Izzo, Livio Lai, Bruno Laronga, Domenico Magnetta, Fulvia Miglietta, Silveria Russo, Isabella Vetrani, Ettorina Zaccheo, Arrigo Cavallina), in un periodo drammatico del secolo scorso, ma anche del lavoro infaticabile e generoso di Carmelo. Un prete innamorato di Dio.

«Un libro-confessione di giovani fragili quanto più erano violenti. La loro forza è emersa quando sono stati vinti, si sono fatti carico dei loro errori e hanno trovato se stessi», sottolinea Carmelo che, in questi anni, è rimasto in contatto con molti di essi. Ha celebrato i loro matrimoni, ha battezzato i loro figli, li ha confortati nei momenti di dolore. Tutti con storie diverse di sofferenza, ma anche di condivisione della fede e del ritrovato senso della vita.

I primi approcci con questi uomini e queste donne che appartenevano alle Brigate Rosse, a Prima Linea, ai Nar (nuclei armati rivoluzionari), a Ordine Nuovo, pentiti, irriducibili rossi e neri, sono stati diversi uno dall'altro. Quando andò a incontrare in prigione, in Italia, Angelo Izzo, Carmelo confessa di aver provato un sentimento di timore: «Conoscevo Angelo solo attraverso quello che era stato scritto su di lui. I mezzi di informazione lo avevano bollato come un mostro. Una persona mi chiese di andare ad incontrarlo. Lo feci la prima volta che entrai nel carcere di Paliano (Frosinone). Fu la prima persona che mi venne incontro, superato tutti i cancelli del carcere. Ricordo ancora la scena. Angelo da una parte, Valerio Morucci, più avanti, poi Antonio Savasta, la Faranda e altri. Ci appartammo per parlare da soli. Io avevo quasi paura di trovarmi di fronte a lui, ma nello stesso tempo stentavo a credere che lui fosse quell'Angelo Izzo di cui avevo sentito parlare. Mi ha aperto il cuore senza nessuna difficoltà. Ha iniziato lui per primo il dialogo, ed è stata come una fiumana, un torrente di esperienze. Era consapevole di come veniva giudicato fuori dal carcere. Allora io gli ho detto: "Cristo ti ama come sei con tutta la porcheria del tuo passato e questo te lo dimostra nella croce. Per te c'è la possibilità di una vita nuova. Tu puoi rinascere a vita nuova, nonostante tutto quello che la società pensa di te". Stentava a credere alle mie parole, a capirle e ad accettarle. Ma i suoi occhi erano colmi di lacrime».

Il libro è stato subito un successo. Carmelo è stato intervistato in molti programmi televisivi e radiofonici. Per anni, in tutta Italia, sono stati organizzati incontri pubblici con la testimonianza di alcuni ex-terroristi.

Il volume è un documento importante, ma non esaurisce l'impegno che Carmelo ha avuto e continua ad avere verso chi ha scelto la lotta armata come forma di contestazione radicale.

L'uccisione del professor Marco Biagi e prima ancora quella di Massimo D'Antona, la cattura della terrorista Desdemona Lioce, la morte del suo compagno Mario Galesi e dell'agente della Polfer Emanuele Petri, hanno riportato alla cronaca di oggi il dramma del terrorismo. Un periodo che molti avevano pensato di poter considerare definitivamente concluso.

La capacità di Carmelo di parlare ai cuori delle persone che si sono macchiate dei più atroci delitti, e il suo esempio di ricerca del dialogo, di « lanciare un seme di speranza », continuano ad essere più che mai preziosi.

Il buio

Due aprile 2001, muore improvvisamente padre Roberto Russo, e con lui scompare una parte di Carmelo. La mattina entra nella sua grande camera e lo trova ancora vestito, riverso sulla scrivania, privo di vita. Con lui c'è Onorina. Non si può pensare alla St. Peter's senza pensare a Onorina. Da una vita intera, si può dire, vive a Londra. Vi era sbarcata negli anni Quaranta, dopo che un male improvviso le aveva ucciso il giovane marito. Da sempre ha dedicato il suo tempo agli altri. Alla chiesa italiana si occupa di tutto, da sfamare i ragazzi che bussano alla porta, ad organizzare l'accoglienza degli ospiti. Nonostante l'età, corre su e giù per la casa, instancabile.

Ma torniamo a quella mattina di aprile. Carmelo e Onorina si rendono conto che non c'è più nulla da fare: padre Roberto è morto. Ed è subito un vortice. Padre Roberto era molto conosciuto e amato. Tutti coloro che lo hanno incontrato e apprezzato desiderano salutarlo per l'ultima volta. Anche i ragazzi, e sono tanti, non ricordano più le litigate con il più severo dei padri pallottini. Rammentano solo la sua disponibilità, il suo amore per loro, e la comune passione per la Roma. Prima dell'inizio della celebrazione del funerale chiedono di adagiare nella bara la sciarpa giallo-rossa. Carmelo ricorda: «Ero come imbambolato, vedevo tanta gente intorno a me, non riuscivo a rendermi conto che ero rimasto solo. Io facevo la mia vita e lui la sua, la mattina presto o la sera tardi ci aggiornavamo sulle nostre attività, ma poi ognuno si gestiva le proprie giornate in modo autonomo. Io, soprattutto, ero sempre fuori, in carcere tra i giovani, sulla strada, mi occupavo meno della routine della parrocchia. Sì, certo, seguivo le giovani coppie per la preparazione al matrimonio, poi c'erano i battesimi, i funerali, ma sapevo che lui c'era sempre. Mi sentivo tranquillo, perché Roberto era una roccia su cui si poteva fare affidamento. Teneva tutto sotto controllo. Ora davanti alla sua bara mi sentivo improvvisamente solo e abbandonato».

Maria, l'amica medico, vola a Londra per sostenerlo in questa situazione di grande sofferenza e disagio. E ricorda: «Oltre al dolore della separazione, la morte improvvisa di padre Roberto lo ha messo di fronte al problema della morte, della malattia. Lui ha paura della sofferenza, ha paura della morte. In fondo è un uomo emotivamente fragile, costretto ad affrontare ogni giorno situazioni molto difficili, per aiutare gli altri».

Tante volte Carmelo ha accompagnato giovani malati di aids nelle ultime ore della loro vita, in numerose occasioni ha dovuto consolare i genitori che non riuscivano a farsene una ragione. Spesso, confessa lui stesso, «ho invidiato la serenità di molti giovani nel momento della loro morte. Li ho ammirati per la gioia che leggevo nei loro occhi, per il prossimo incontro con Gesù. Dopo tante sofferenze, con il corpo dilaniato dall'aids, una malattia che non perdona, erano rasserenati per il loro futuro nella vita eterna. Mi auguro di avere la loro stessa forza e la stessa fede il giorno che Dio mi chiamerà in cielo».

Ma davanti alla bara di padre Roberto non ha più nessuna certezza. Non si ricorda neppure una delle tante parole che dice ai suoi ragazzi, alle loro famiglie. La sua mente è completamente vuota e il suo cuore è muto. Tanto è convinto che i «suoi» giovani andranno in paradiso, tanto lui ha paura di andare all'inferno. Sì, proprio lui. Quando me lo ha detto non potevo crederci. Ma lui ha insistito. «Scrivilo, è la verità. L'inferno esiste. La mia più grande paura è di andarci. L'inferno è la solitudine, vuol dire essere lontani da Dio. Ogni uomo è sempre libero fino alla fine. E potrei sbagliare e perdere la strada. Bisogna essere sempre vigilanti sulla propria vita. Ognuno di noi si misura con le miserie degli altri, ci rapportiamo ai nostri simili, ma dovremmo farlo con Dio. E allora ci ritroviamo miseri e diventiamo umili. Per ogni uomo Dio ha pensato una storia meravigliosa. Sta a ciascuno di noi entrare e accettare questo progetto, e la missione della Chiesa è proprio quella di far capire agli uomini quanto sia importante accettare il proprio progetto pensato da Dio».

Terminate le celebrazioni, e rimasto l'unico prete della chiesa, Carmelo non riesce più a conciliare i suoi impegni di prima che già riempivano le giornate in modo quasi frenetico, con la mole di incombenze fino a quel momento assolta da padre Russo. Le giornate per Carmelo, già oltremodo dense, diventano impossibili da sostenere. Il problema è che non è facile trovare un sostituto. Le nuove vocazioni dei Pallottini germogliano soprattutto in Polonia e India, ma per la chiesa italiana a Londra c'è bisogno di un prete italiano, o quantomeno che parli l'italiano. Passano i mesi, e la tensione per i troppi impegni opprime Carmelo. A Natale decide di scrivere, fatto del tutto eccezionale, una lettera aperta (in italiano e inglese). Poche e sincere parole a tutti i parrocchiani, con i quali vuole condividere la propria fragilità. «Carissimi, unisco agli auguri di Natale e ai calendari due righe per comunicarvi alcuni pensieri e riflessioni. È la prima volta che scrivo una lettera, e lo faccio con grande gioia e commozione, per sentirci sempre più in amicizia e comunione. Quest'anno, come tutti sapete e avete potuto constatare, è stato molto difficile e duro. La morte improvvisa di padre Roberto Russo il due aprile 2001 ci ha lasciato tutti sconvolti e scioccati, la mia debole fede ha traballato ed è stato difficile accettare la volontà di Dio. Fino a ora abbiamo avuto enormi problemi e difficoltà nella parrocchia. Ho avuto momenti di buio, dubbio e di rabbia. In questo Natale prego il Signore perché la sua luce torni a brillare. È vero che spesso incoraggio gli altri e poi sono io il primo a cadere e a perdere fiducia e speranza. Voglio ringraziare ognuno di voi in particolare per l'affetto, l'amore e il sostegno in questi mesi delicati. Quest'anno ci sentiamo tutti un po' orfani per la mancanza di padre Roberto, sono certo che è presente in mezzo a noi con il suo spirito e la sua allegria. Pregate per me, un forte abbraccio di pace e serenità. Carmelo».

La stessa lettera la ricevono alcuni amici in Italia. Uno di questi decide di partire e di andare a vedere con i propri occhi che cosa sta capitando a Carmelo. È il suo amico don Tonino Lotti. «Mi sono subito reso conto che la situazione era molto difficile, da molti anni non vedevo Carmelo così triste e provato. Grazie alla presenza di padre Roberto, aveva potuto vivere la sua spiritualità in piena libertà, ora si trovava imbrigliato in troppe incombenze burocratiche, da cui non riusciva più a uscirne».

Nel frattempo, la Congregazione ha inviato in aiuto un prete americano, ma l'impatto non è dei migliori. Mentre Carmelo è a Torino per il convegno dei missionari, questi decide di chiudere i locali della parrocchia e di annullare l'appuntamento settimanale con i ragazzi. Un provvedimento assunto per problemi di sicurezza, legati a un incidente avvenuto una sera nel centro, ma che di fatto elimina la loro unica occasione per mangiare un pasto caldo, farsi una doccia, guardare la tv, parlare con i volontari, leggere un libro, trovare un vestito pulito. Piccole cose, ma preziosissime per chi molto spesso vive sulla strada.

Passano i giorni, ma la sensazione di solitudine e di sofferenza non abbandona Carmelo. È come se la morte di padre Russo avesse aperto una diga dentro di lui e arriva al punto di mettere in dubbio perfino il senso della sua fede. Si sente sfiduciato, incapace di affrontare non solo le emergenze, ma neppure l'ordinario. Non ci sono variazioni apparenti nel suo stile di vita. Ma dentro di sé ha mille domande sul senso della sua esistenza a cui non riesce più a dare una risposta convincente. In parrocchia, intanto, nascono problemi organizzativi e di conflittualità, ma lui fa finta di non accorgersene. Inizia a sentirsi più stanco del solito e a vivere in modo ancora più disordinato. Ricorda lo stesso Carmelo: «Speravo di riprendermi con il solito viaggio di febbraio, ma al mio ritorno a Londra era come se non fossi neanche partito».

A rendere ancora più pesante il clima, si aggiungono le terribili minacce di una persona tossicodipendente, con gravi problemi psichiatrici – che più volte hanno reso necessario il suo ricovero in ospedale. La persona, che conosce bene la chiesa, spunta all'improvviso in ogni angolo della parrocchia e della casa.

Carmelo spiega: «All'inizio non ho pensato che fosse un pericolo reale. Ho avuto a che fare con tanti assassini, persone violente..., e poi lo conoscevo da così tanti anni e sapevo che mi era affezionato. Alcuni episodi però mi hanno fatto capire che la situazione era critica. Ho chiesto aiuto ad alcuni amici di Scotland Yard, a poliziotti, avvocati, assistenti sociali, ma senza una mia denuncia, essi non potevano procedere con alcun intervento di tutela. Ma io non volevo andare a denunciarlo e rendere pubblica questa situazione. Avrebbe potuto essere ampiamente strumentalizzata e per rispetto ai parrocchiani e al delicato lavoro che svolgo in carcere, non me la sentivo di procedere per via giudiziaria». La tensione cresce e nel contempo fervono i preparativi per il pellegrinaggio parrocchiale in Italia, l'occasione per andare a portare un saluto a padre Roberto, sepolto nel cimitero del Verano a Roma, sua città natale. La data fissata per la partenza è il primo aprile, in modo da essere nella capitale proprio il giorno dell'anniversario della morte.

Ma una mattina di marzo, il 19, festa di san Giuseppe, il pericolo si avvicina. Carmelo sente di non essere più al sicuro e di non poter reggere un minuto di più la situazione. La decisione è immediata: rientrare in Italia. Mentre lui esce dalla porta che si affaccia sul n. 4 di Back Hill, dove lo attende il minicab per condurlo all'aeroporto, dal portone della chiesa, al n. 136 di Clerknwell Road entra il persecutore che lo minaccia. Poco prima aveva lasciato un agghiacciante messaggio telefonico: « È giunto il momento che porti a compimento la mia missione ». I due non si incontrano per pochi attimi. E non succederà mai più, almeno su questa terra. Qualche mese dopo, l'uomo viene trovato morto nella sua casa londinese.

Mentre Carmelo è sul volo Londra-Roma, io mi trovo su quello di Torino-Roma. Ho appuntamento a Ostia con don Antonio Lotti, ignara di quello che capiterà al mio arrivo.

« Alle quattordici andiamo a prendere Carmelo all'aeroporto Leonardo Da Vinci », sono le parole con le quali mi accoglie don Lotti. Stupita gli chiedo il motivo dell'improvviso arrivo di Carmelo, tanto più che pochi giorni dopo è previsto il pellegrinaggio romano.

«Sembra che abbia appuntamento in Congregazione per discutere di alcune questioni relative alla ristrutturazione della casa parrocchiale», mi risponde don Lotti. Mi pare una motivazione assurda, ma lascio perdere e mi immergo nel dialogo con don Tonino per conoscere meglio il passato di Carmelo. Dopo il pranzo, piacevolissimo con i Pallottini giunti un po' da tutto il mondo (India, Spagna, Brasile), io e Lotti, puntuali, andiamo a Fiumicino. Chi conosce Carmelo sa che è sempre il primo a uscire dal terminal, con il suo solito zainetto sulle spalle. Ma quel giorno Carmelo non si vede. Io e Lotti ci guardavamo stupiti: di padre Carmelo non c'era neanche l'ombra. Stiamo per chiamare Londra per avere la conferma della sua partenza, quando ce lo troviamo davanti con un bagaglio triplo rispetto al solito. Meravigliati gli chiediamo che cosa significa, e lui ci risponde, parlando d'altro. Con calma cerchiamo di capirci qualcosa di più. E poco dopo arriva il pianto liberatore: «La situazione è diventata troppo pericolosa per me; un ragazzo mi vuole uccidere».

Immediata la reazione di don Lotti, disponibile a partire la sera stessa per sostituire Carmelo a Londra, mentre scatta la solidarietà della Congregazione. Carmelo ora è al sicuro. Ma ci vorranno ancora diversi mesi, perché tutta la tensione, i dubbi, la crisi che lo hanno attanagliato negli ultimi tempi siano superati e lui possa tornare il Carmelo che tutti conoscono.

Carmelo ricorda: «Ho avuto bisogno di tutti, dell'affetto dei londinesi che mi scrivevano lettere colme di comprensione e nostalgia, della mia famiglia, dei miei amici. Un lungo periodo dedicato alla cura della mia salute, che senza l'aiuto prezioso di Maria, in quel momento più medico che amica, non sarei riuscito ad affrontare. Non mi ero reso conto di quanto poco tempo avessi riservato alla mia persona, a ricaricarmi. Ho pregato tanto, ho ritrovato la Parola di Dio. Sono come rinato un'altra volta. Lentamente, molto lentamente, dentro di me è rifiorito il desiderio di ricominciare la mia vita londinese, tra la mia gente, i ragazzi, il carcere».

Il rischio che Carmelo non tornasse più in Inghilterra è stato reale. Nei primi tempi della sua permanenza in Italia, vagando da una città all'altra, ospite di amici e parenti, si convinceva sempre di più che l'esperienza inglese fosse ormai chiusa, che fosse necessario iniziare nuovi percorsi. E in effetti i padri Pallottini stavano già pensando a un suo sostituto. Poi, lentamente, dentro di lui, è scattato qualcosa. E un giorno di giugno ha deciso: «Torno a Londra, quello è il mio posto ancora per un po'. Il 16 ottobre rientro a casa». Grande la gioia dei parrocchiani e di tutti quelli che in quei mesi avevano ripetutamente bussato alla porta della St. Peter's Church con la speranza di ritrovarsi davanti Carmelo.

Ma quando lui era partito, così all'improvviso, c'è stato anche chi allo stupore ha aggiunto le calunnie. Tutti si sono sentiti in diritto di esprimere la propria opinione. In alcuni casi anche esagerando.

Allora, al suo rientro, Carmelo ha deciso di rendere pubblici i motivi che lo avevano indotto alcuni mesi prima a lasciare Londra in modo così improvviso. Senza mezzi termini, come è abituato lui, ha spiegato i cinque motivi che avevano determinato il suo allontanamento volontario.

«Sentivo il bisogno di chiarire tutto con sincerità. Non volevo che rimanessero dei dubbi, delle mezze verità che potevano avvelenare il clima della parrocchia. E poi credo che proprio nei confronti dei miei parrocchiani avevo un obbligo di onestà e correttezza». In una lunga intervista Carmelo si confessa: «La morte di padre Russo mi ha lasciato sconvolto, scioccato e solo. La mia debole fede ha vacillato ed è stato difficile accettare la volontà di Dio. La sua morte improvvisa ha provocato in me un trauma psichico morale». Ecco il primo motivo. «La parrocchia comporta una mole di lavoro enorme. Affrontare una realtà così grande mi ha prostrato. Un prete solo non è sufficiente. L'arrivo del padre americano, dopo un primo approccio positivo, non ha migliorato la situazione. Non era la persona adatta per la nostra comunità». La prostrazione, quindi, è il secondo motivo.

«La terza causa è il persecutore. Una persona che ho sempre aiutato. Nel 1999 ha iniziato a minacciarmi, più di una volta ha tentato di aggredirmi anche con un coltello. All'inizio ho sottovalutato la situazione, ma negli ultimi tempi la sua continua presenza in parrocchia e le sue sempre più pressanti minacce avevano creato in me un forte senso di paura. La sua figura era diventata ossessiva. Continuava a suonare il campanello giorno e notte. I medici mi avevano confermato che soffriva di disturbi mentali e che era pericoloso. Da anni consumava droghe e si era unito a una setta religiosa che aveva condizionato le sue scelte. Lo avevano convinto che la sua missione consisteva nel riportare la pace in Palestina, convincere i politici a spostare la capitale d'Italia a Milano e di riunire le religioni del mondo. Un compito assurdo. Ma ancora più insensato era il fatto che lo avevano convinto che soltanto uccidendomi avrebbe compiuto la missione. Insomma ero la vittima designata per la salvezza».

Tre motivazioni sufficienti a indurre chiunque a un periodo di distacco. Ma non finisce qui. «A poco a poco, dopo la morte di padre Russo, si era creata in canonica una orribile atmosfera, colma di contrasti. Tutti ne parlavano. Nessuno aveva il coraggio di affrontarla. Ritengo che questa situazione sia centrale nella mia crisi. Proliferavano i pettegolezzi, anche molto pesanti e cattivi, su fatti e circostanze non vere. Il mio errore, dettato dalla stanchezza e dal tanto lavoro, è stato quello di non aver capito cosa stava capitando e di non aver avuto il coraggio di intervenire subito con autorevolezza. Ho cercato la mediazione, ma non era sufficiente. Il clima che si respirava, la mancanza di serenità mi hanno provocato una forte crisi sacerdotale. Mi domandavo: come posso predicare il perdono, la misericordia, il Vangelo in una situazione così ipocrita? Cercavo di non pensarci troppo, mi ributtavo nell'attività, lasciandomi travolgere dal lavoro e dagli impegni. Ma la mia resistenza era al limite, e infatti me ne andai».

E infine, la malattia. «La crisi della mia salute era certamente legata alle altre cause. Per molto tempo mi ero trascurato. Dalle analisi effettuate in Italia emerse che avevo tutti i valori sballati: inizio di diabete, problemi al cuore, allo stomaco. La diagnosi fu che ero affetto dalla sindrome di burn-out. In pratica mi ero completamente svuotato, non avevo più energia sia a livello fisico sia psichico. Mi sentivo un automa, incapace di pensare al mio futuro con ottimismo. Anzi, vi devo confessare, che in alcuni momenti ho desiderato anche di "addormentarmi" e di non svegliarmi più. Gli specialisti mi hanno spiegato che questi sintomi possono colpire le persone che si consumano nel servizio e nell'attenzione costante verso gli altri. La terapia migliore è stata un periodo di riposo, lontano dalle occupazioni e dall'ambiente in cui vivo». Cinque motivi, uno più forte dell'altro, sembra quasi impossibile che Carmelo sia riuscito a reggere così tanto tempo. La fuga è stata così la sua liberazione e la strada per la guarigione.

Ecco come l'ha vissuta lui. «I mesi di lontananza sono stati un dono. Ho potuto riflettere, pregare, incontrare persone e realtà diverse. L'affetto dei miei confratelli, l'aiuto dei medici che si sono presi cura di me, di tanti amici che ho ritrovato dopo molti anni, il silenzio e l'incontro con il Signore nella preghiera hanno compiuto il miracolo di ricostruire ciò che si era spezzato dentro di me. Ora posso dire con molta serenità che questa esperienza non è passata invano».

La rinascita

«Ognuno di noi ha il suo Orto degli Ulivi. Nessuno può scappare dai momenti di dubbio, disperazione, è lì che Dio ti aspetta. È il momento del passaggio dalle tenebre alla luce. Così è la vita dell'uomo: il passaggio nel tunnel». Così diceva Carmelo, quando ancora la crisi non si era manifestata.

Queste sono invece le parole di quando i dubbi, la sofferenza, si stavano diradando: «Sono molto emozionato per il mio ritorno, anche se mancano ancora alcuni mesi. In questo periodo ho ricevuto molte lettere dai londinesi, dai ragazzi del carcere, ma non mi sentivo di rispondere, ho spedito loro solo qualche cartolina. Riprenderò la mia attività di prima. Ogni esperienza che viviamo può essere negativa e, quindi, la rifiutiamo, proviamo rancore verso tutto e tutti; oppure può dimostrarsi positiva, e allora diventa un momento di crescita. È il Signore che opera, ora rileggo tutta la sofferenza che ho provato attraverso la fede; se cerco di dare un significato dal punto di vista umano non trovo la risposta. Tutto è contenuto nella croce di Cristo».

È l'inizio di luglio del 2002. In un'afosa giornata romana, Carmelo si sente molto meglio sia di spirito, sia di salute. Deve sostituire il parroco a Pietralata, una parrocchia di frontiera nella periferia di Roma vicino al carcere di Regina Coeli. Un quartiere che conosce bene. Una zona molto popolata, che deve fare i conti con la realtà così vicina del carcere. «La crisi è stata un dono di Dio, apprezzo sempre di più il dono della vita e della gratuità che ti può essere tolta in qualsiasi momento, il guaio è che ognuno di noi non ci pensa mai. È come se la morte non ci riguardasse. Siamo indifferenti alle tragedie, il mondo di oggi è cinico e freddo; abbiamo perso l'amore per la vita. Sono convinto che l'uomo è libero di scegliere il male, il Vangelo parla chiaramente, anch'io potrei cambiare da un momento all'altro, per questo devo continuare a vigilare. Fino alla fine l'uomo può giocarsi la salvezza eterna. La vita è una cosa seria, non un gioco, ma cosa sarebbe senza l'incarnazione di Cristo? »

I mesi di profonda sofferenza hanno lasciato i segni sul fisico di padre Carmelo, ha qualche capello in meno e quelli rimasti sono un po' più grigi, ma si sente ancora più vicino a chi soffre. Carmelo è tornato alla sua vita. Vita sempre frenetica, fatta di giornate piene, senza soste, di disponibilità incondizionata per chi gli chiede di fare un tratto di strada insieme.

Proprio come lo raffigura uno dei tanti ragazzi. «Carmelo, ti ringrazio per tutto quello che fai per me, e per tutti gli altri, spero di poter un giorno sdebitarmi, per il momento non posso fare altro che pregare il Signore che ti aiuti in questa tua missione. Che Dio ti benedica, fratello. Grazie di cuore». O un gruppo di detenuti dal carcere di Brixton: «Oggi ti abbiamo dedicato una canzone alla radio, a te e a tutti quelli che si occupano dei detenuti».

Un genitore, uno dei tanti, gli scrive: «...Carlo è finalmente libero. Egli ci ha parlato molto di lei e di quello che fa per aiutare i giovani disadattati. Noi la ricordiamo tanto per l'impegno che ha verso gli altri e per la buona parola che ha per tutti...».

La storia di Gianni

Si potrebbero riempire volumi e volumi con le storie delle persone che Carmelo ha incontrato nella sua vita. Migliaia e migliaia, ciascuna con una particolarità, perché ciascuno è unico e irripetibile. Di ognuno Carmelo ha un ricordo, un fatto da associare a un volto. Mi sono sempre chiesta come riesca a ricordare tutti i nomi, le facce, le storie. Eppure è così, chi lo conosce lo sa bene. Anche se si ostina a non voler tenere una rubrica, creare un'agenda telefonica, tanto più che lui non ha alcuna dimestichezza con il computer e le tecnologie. Un prete cosmopolita, cittadino del mondo, che è ancora indeciso se dotarsi di un telefono cellulare.

Non ci sono esperienze migliori di altre o più importanti, ma alcune hanno un significato più profondo. Per questo Carmelo ha voluto elevare a simbolo la storia di Gianni: « Era un ragazzo italiano, drogato. Viveva a Londra in uno squatter (*nda*: appartamenti di proprietà del comune, di cui i giovani si impossessano. Entrano nella casa, cambiano la serratura. E ci rimangono finché non vengono cacciati dalla polizia). La droga lo rendeva violento. Un giorno che era più agitato del solito ha distrutto la casa in cui abitava, terrorizzando tutte le persone che stavano intorno a lui. Poche settimane dopo venne alla St. Peter's e mi chiese di confessarlo. Mi raccontò la sua vita e promise che da quel momento non si sarebbe più drogato. E mantenne la promessa. Persi le sue tracce per alcuni anni. Poi arrivò una sua lettera da Spello, in Umbria, dalla comunità dei Fratelli di Charles-Eugène de Foucauld: aveva deciso di farsi monaco. Non potevo crederci. Ma lui andò dritto per la sua strada, diventò novizio e dopo qualche anno ricevetti una sua lettera dall'Algeria. Aveva preso i voti definitivi: era un monaco.

Un paio di anni fa lo vidi in chiesa a Londra, stava per iniziare la messa cantata delle undici. Gli chiesi di raccontare la sua esperienza. All'inizio era titubante, poi accettò. Era la festa degli alpini e la chiesa era gremita più del solito. Lo presentai riassumendo brevemente la sua storia. Si avvicinò all'altare, prese il microfono, parlò per pochi minuti. In silenzio e rapita, tutta la comunità lo ascoltava mentre con semplicità testimoniava la sua conversione improvvisa. L'incontro con Cristo che aveva cambiato in modo radicale la sua vita. Gianni concluse dicendo: Il Signore ha ascoltato le preghiere di mia madre, non è stato merito mio. Le lacrime e le preghiere di mia madre mi hanno salvato».

L'apostolo Filippo

L'annuncio della vita di Gesù Cristo, ogni giorno, senza sosta, come hanno fatto gli apostoli duemila anni fa, prima camminando a fianco di Gesù e poi in giro per il mondo ad annunciare la buona novella. È questa la vita che ha scelto Carmelo, la strada che ha deciso di percorrere. Lo ha descritto con immagini suggestive e affascinanti Mariapia Bonanate, scrittrice e giornalista, nel suo libro *Preti* (Ed. Rizzoli 2000).

All'inizio degli anni Novanta, una calda sera d'estate, ha accompagnato Carmelo nella sua casa, ai piedi della collina torinese. L'incontro lasciò un segno, e in Mariapia crebbe il desiderio «di conoscere meglio questo prete». Un'intenzione che è diventata realtà. Quasi dieci anni dopo è uscito il libro che nel primo capitolo riassume il significato del suo lavoro: «Per rintracciare Cristo, – che è rimasto fra noi e che troppo spesso non riuscivo a trovare fra le chiuse pareti del tempio, nei riti di una Chiesa che spesso fatica a lasciarsi vivificare dallo Spirito e ad accogliere il Figlio di Dio, incarnato nelle sue creature – mi sono messa in viaggio sulle sue orme...

In questo pellegrinaggio ho incontrato coloro che continuano ad accompagnarlo nei luoghi dove condividere la sorte degli uomini, senza distinzione di fede, di religione, di tradizioni, di cultura e di provenienza. Il filo conduttore che mi ha guidata, componendo a sorpresa un quadro ricco di profezie e di annunci, di corrispondenze e di comunioni, è stata la strada, la sua dimora privilegiata per amare... Ed è stata ancora la Provvidenza a scegliere, come allora, i dodici, per dimostrarmi che in loro Cristo continua a vivere, grazie a quella corrispondenza di amore e di totale dedizione che cancella i secoli e rende eterno il presente. Sono apostoli che all'anagrafe di Dio hanno duemila anni. In quella degli uomini appartengono ai nostri tempi».

E Carmelo è uno di loro: come Filippo, un singolare e generoso apostolo di strada che ha, sempre, al suo seguito la folla delle Beatitudini.

Le strade di Dio

Carmelo è un prete. È un uomo con pregi e difetti, ma che ha avuto il coraggio di pronunciare il suo « sì » davanti a Dio. Ha risposto: Sì, ci sto, accetto la croce che Dio ha scelto per me.

Ha deciso di percorrere la strada che porta a Dio. E questo ha cambiato la sua vita, gli ha donato la vita eterna e la grandezza che solo i più umili hanno.

« Credo che ognuno di noi, nel corso della vita, attraversi momenti di dolore, confusione, tristezza, dubbio, depressione, delusione, ma per tutti arriva la risurrezione, la Pasqua. Per me è sempre stato così. Anche dopo gli ultimi due anni di passione, in cui Dio mi ha provato duramente e alcune ferite sono ancora aperte », ha scritto Carmelo, pochi giorni prima della Pasqua.

Una crisi profonda che ha reso più saggio questo piccolo, grande prete, ma anche più sereno e più forte nell'affrontare ciò che il Signore gli chiede ogni giorno. « La crisi, come la rinascita, non ha coinvolto solo la mia persona, ma tutta la mia comunità parrocchiale. È meraviglioso ora, che è tempo di risurrezione, ritrovarci con uno spirito nuovo, uno spirito rinnovato dalla certezza che Dio si è fatto Uomo per salvarci ».

Un miracolo che si rinnova quando la solidarietà prevale sull'egoismo, quando uomini e donne aiutano i loro fratelli e le loro sorelle...

Senza giudicarli, ma solo per amore.

INDICE

Stampa: Àncora Arti Grafiche - Milano - 2004